Nuestra hija tiene síndrome de Down

Guías para padres

18. R. A. Devries y A. P. de Devries - *Adolescencia. Desafío para padres*
19. C. Cunningham - *El síndrome de Down*
20. J. Pearce - *Peleas y provocaciones*
21. J. Pearce - *Buenos hábitos y malos hábitos*
22. B. M. Spock - *Un mundo mejor para nuestros hijos*
23. J. Potter - *La naturaleza explicada a los niños en pocas palabras*
24. P. Statman - *Niños a salvo de un mundo inseguro*
25. F. Dolto - *La causa de los niños*
26. D. Fleming - *Cómo dejar de pelearse con su hijo adolescente*
27. F. Dolto - *¿Cómo educar a nuestros hijos?*
28. S. Greenspan y N. Th. Greenspan - *Las primeras emociones*
29. F. Dolto - *Cuando los padres se separan*
30. F. Dolto - *Trastornos de la infancia*
31. R. Woolfson - *El lenguaje corporal de tu hijo*
32. T. B. Brazelton - *El saber del bebé*
33. B. Zukunft-Huber - *El desarrollo sano durante el primer año de vida*
34. F. Dolto - *El niño y la familia*
35. S. Siegel - *Su hijo adoptado*
36. T. Grandin - *Atravesando las puertas del autismo*
37. C. S. Kranowitz - *101 actividades para entretener a tu hijo en lugares cerrados*
38. F. Dolto - *La educación en el núcleo familiar*
39. J. G. Fitzpatrick - *Cuentos para leer en familia*
40. R. A. Barkley - *Niños hiperactivos*
41. D. S. Stern - *Diario de un bebé*
42. D. N. Stern y otras - *El nacimiento de una madre*
43. G. Nagel - *El tao de los padres*
44. P. Ekman - *Por qué mienten los niños*
45. R. Schwebel - *Cómo tratar con sus hijos el tema del alcohol y la drogas*
46. F. Dolto - *Las etapas de la infancia*
47. J. Natanson - *Aprender jugando*
48. *R. A. Barkley y Ch. M. Benton - Hijos desafiantes y rebeldes*
49. *L. Britton - Jugar y aprender. El método Montessori*
50. *L. Lawrence - Ayude a sus hijos a leer y escribir con el método Montessori*
51. *A. Gesell - El niño de 1 a 4 años*
52. A. Gesell - *El niño de 5 y 6 años*
53. A. Gesell - *El niño de 7 y 8 años*
54. A. Gesell - *El niño de 9 y 10 años*
55. A. Gesell - *El niño de 11 y 12 años*
56. A. Gesell - *El niño de 13 y 14 años*
57. A. Gesell - *El adolescente de 15 y 16 años*
58. R. Pérez Simó - *El desarrollo emocional de tu hijo*
59. M. Borba - *La autoestima de tu hijo*
60. P. G. Zimbardo y S. Radl - *El niño tímido*
61. G. Pinto y M. Feldman - *Homeopatía para niños*
62. L. Lipkin - *Aprender a educar con cuentos*
63. M. Stanton - *Convivir con el autismo*
64. K. Miller - *Cosas que hacer para entretener a tu bebé*
65. Ch. Rogers y G. Dolva - *Nuestra hija tiene síndrome de Down*

Cheryl Rogers y Gun Dolva

Nuestra hija tiene síndrome de Down

La experiencia de una familia con una niña especial

PAIDÓS
Barcelona
Buenos Aires
México

Título original: *Karina has Down Syndrome*
Publicado en inglés, en 1998, por Southern Cross University Press

Traducción de Isidro Arias

Cubierta de Julio Vivas

ISBN: 84-493-1243-4
Depósito legal: B. 13.374/2002

Impreso en Hurope
Lima, 3 - 08030 Barcelona

Impreso en España - Printed in Spain

A Danika, Karina y Joshua

«Por encima de todo, estos días nuestra atención gira en torno a la persona de Karina y sólo en segundo lugar en torno a lo que ella puede o no puede hacer. Es la misma actitud que tratamos de adoptar frente a los otros hijos.»

GUN DOLVA Y RODNEY POTTER

«El síndrome de Down es una condición irreversible que afecta al recién nacido en virtud de una anomalía de sus cromosomas. Es la causa aislada más común de discapacidad intelectual. Con ella van asociados otros rasgos que se manifiestan con diverso grado y frecuencia. Por ejemplo, una apariencia característica, un tono corporal bajo y algún tipo de anomalía cardíaca. En Australia Occidental, uno de cada ochocientos recién nacidos está afectado de este síndrome.»

ASOCIACIÓN DEL SÍNDROME DE DOWN
DE AUSTRALIA OCCIDENTAL
Hacia 1986

Sumario

Prólogo

El síndrome de Down, la causa más frecuente de discapacidad intelectual en nuestra comunidad, afecta a unos veinticinco niños entre los nacidos cada año en Australia Occidental. Este libro admirable nos habla del impacto que esa sencilla estadística ha tenido en una familia.

Al describir los primeros seis años de vida de Karina, Gun y Rodney han puesto a nuestra disposición una rica información acerca de lo que a ellos les ha sido útil, dejando claro a cada momento que ésta es su experiencia y que tal vez no valga para todos. No tiene sentido pretender que su manera de actuar sea la única correcta: es sencillamente una de las muchas posibles maneras de actuar, que ellos quieren compartir desinteresadamente con nosotros. El hecho de que varias personas no se muestren siempre totalmente de acuerdo no ha de considerarse una dificultad, sino simplemente una diferencia. Para mí, la verdadera contribución de este libro es el énfasis que pone en el valor único e intransferible de cada persona. Semejante convencimiento inspira en realidad la actitud de Gun y Rodney frente a todos sus hijos, sus familias y amigos, su profesión sanitaria, su vida.

Algunas familias que tienen un hijo afectado de discapacidad experimentan sentimientos de rabia, preguntándose por qué razón les ha tocado a ellos. Otros se muestran críticos con los servicios médicos y de apoyo o lamentan la falta de los servicios adecuados. Otros, finalmente, experimentan sentimientos de culpabilidad y ansiedad a la hora de enfrentarse a la discapacidad de un hijo. Aunque comprendemos cada una de estas respuestas, a quienes no pertenecemos a la familia inmediata del discapacitado a menudo nos resulta difícil saber cómo reaccionar, qué decir, cómo ayudar eficazmente, qué hacer y, en ocasiones, se dicen y se hacen cosas que resultan bastante inconvenientes. La lectura de este libro nos ayudará a todos a comprender mejor estas dificultades y nos mostrará algunas de las soluciones.

Casi todo el mundo conoce a alguna persona con síndrome de Down. En este sentido, me atrevo a recomendar a todos este libro como fuente de inspiración: a los miembros más próximos y a los más alejados de la familia, a los amigos, a los profesionales de la sanidad, a las instituciones de apoyo y en general a las personas que aceptarían de buena gana ponerse en contacto con afectados del síndrome de Down o con sus familias. Aparte de ofreceros una serie de útiles informaciones, estas páginas contienen una historia magníficamente contada que leeréis con verdadero placer.

DOCTOR CAROL BOWER
Director Médico del Birth Defects Registry
de Australia Occidental
King Edward Memorial Hospital
Jefe del Departamento de Epidemiología
TVW Telethon Institute for Child Health Research

Y entonces mi corazón se hinche de gozo,
y baile con los narcisos.
W. WORDSWORTH

Introducción

A nuestra hija le pasa algo.

No puedo creer lo que está diciendo el pediatra. Nos pregunta a Rodney y a mí qué es lo que sabemos sobre el síndrome de Down.

Dice que es posible que Karina haya nacido con él. Nuestra hija muestra una serie de características de dicha enfermedad: cabeza pequeña algo más aplanada de lo normal en su parte posterior, ojos hinchados con rasgos un tanto mongoloides, tono muscular más bien flojo.

Me sorprendo a mí misma diciéndole que esto no puede ser verdad. Para mí, nuestra hija muestra simplemente algunos de los rasgos característicos de nuestras dos familias.

El pediatra dice estar seguro en un 95% de que la niña tiene el síndrome de Down.

*

El pediatra nos habla sosegadamente y se inclina hacia nosotros en su sillón, como dispuesto a echarnos una mano si nos venimos abajo.

Es invierno, a última hora de la mañana. Rodney y yo estamos sentados al lado de una incubadora en la sala de recién nacidos del hospital infantil Princess Margaret, de Perth.

Karina, que había nacido en nuestra casa la noche anterior, duerme en mis brazos. Acaba de tomar el pecho.

Pocas horas después de su nacimiento la habíamos ingresado en el hospital. Creíamos que se trataba de una simple medida de precaución, para ayudarla a superar una de las muchas pequeñas dificutades a las que tienen que hacer frente muchos recién nacidos. Ahora estábamos allí para llevarla de nuevo a casa.

Rodney me confesará más tarde que para entonces él ya había empezado a sospechar que lo que le pasaba a Karina podía ser más grave de lo que nosotros pensábamos. Yo seguía dominada por la euforia que experimenta la mayor parte de las madres después de dar a luz.

En este caso, el embarazo no había tenido nada de extraordinario, ni siquiera la «sensación de que algo va mal» que afirman experimentar muchas madres que después darán a luz hijos sanos.

A mis 33 años, gozaba de buena salud y ya había dado a luz una hija «normal», que entonces tenía 3 años y medio. El síndrome de Down nos había parecido un riesgo tan poco probable que apenas nos habíamos parado a pensar en él, razón por la cual yo me encuentro totalmente desarmada ante un diagnóstico que cambiará por completo nuestras vidas.Todo me parece irreal.

Se necesitará mucho tiempo para que las palabras del pediatra produzcan todo su efecto.

¿Qué futuro puede esperar nuestra hija? ¿Y nosotros? ¿Tendremos una niña para siempre? ¿Cómo vamos a arreglárnoslas?

Éstas son sólo algunas de las preguntas que nos hacemos una y otra vez a nosotros mismos, fruto del miedo y la confusión que nos dominan durante las semanas siguientes al nacimiento.

*

Este diagnóstico se produjo hace seis años. Desde entonces, asistentes sociales, personal de los servicios de apoyo, otros padres y —lo que es más importante— la misma Karina nos han enseñado muchas cosas acerca de lo que significa vivir con una discapacidad como el síndrome de Down.

Algunos días no son fáciles y otros resultan agotadores, pero también hay momentos maravillosos. La alegría espontánea de Karina y su manera de ser acomodaticia, entusiasta y amistosa son experiencias inolvidables. Aunque su discapacidad constituye un perjuicio, Karina misma es un verdadero tesoro y nos consideramos afortunados por tenerla con nosotros.

Por pequeño que sea, cada hito en el camino señala un éxito que nosotros jamás damos por sentado. Esto se aplica tanto a Karina como a Danika, nuestra hija mayor, y a nuestro hijo Joshua, que nació tres años más tarde que Karina.

A lo largo de estos años hemos aprendido muchas cosas acerca de cómo hemos de enfocar nuestras iniciativas de ayuda para que Karina alcance determinados objetivos en su desarrollo. Además, hemos reunido cantidad de información que esperamos pueda ser útil a otros padres que se vean en la misma situación en la que nos encontrábamos nosotros hace seis años, a cuidadores que trabajan con niños con síndrome de Down y a la comunidad más amplia en la que Karina tiene ahora un papel activo.

Por nuestra propia experiencia y por las conversaciones que hemos mantenido con otros padres y cuidadores de niños con discapacidades, sabemos que la necesidad de apoyo y de información es suprema en estos primeros años decisivos. A menudo la experiencia de otras familias es la solución más práctica.

Así fue como se originó la idea de este libro. No pretende ser en modo alguno una guía definitiva: la paternidad y la maternidad son desafíos absolutamente personales y cada niño es tan diferente de los otros que cada familia debe decidir qué es lo mejor en su caso. Para decirlo con las palabras del filósofo Friedrich

Nietzsche: «Éste es mi camino. ¿Cuál es el vuestro? *El* camino no existe».

La historia de Karina es el relato de la vida cotidiana de nuestra familia, en la que hay un hijo que tiene algunas necesidades especiales.

1

Narcisos y lágrimas

Habíamos decidido que Karina naciese en casa, dos semanas antes de salir de cuentas. Todo se presentaba tranquilizadoramente normal.

Con una elevada dosis de endorfinas y sin mis gafas, lo que mejor recuerdo de aquella tarde son los narcisos. Una maceta de flores en la ventana del dormitorio capta todavía la luz del sol invernal y se convierte en un maravilloso halo de color, lo que me lleva a recitar el verso de Wordsworth «Yo vagaba solitario como una nube». En ese momento se percibe ya muy próxima la llegada de Karina.

Son las 7.05 de la tarde del 2 de agosto de 1990 cuando nuestra nueva hija empieza a deslizarse suavemente hacia este mundo en un clima relajado, alegre y festivo. El parto dura once horas y veinte minutos, y la mejor manera de describirlo es decir que implicó un trabajo duro. La única pequeña sorpresa es el sexo del recién nacido.

Yo medio me había autoconvencido de que esta vez íbamos a tener un niño: un hermano para nuestra hija Danika, que entonces contaba con 3 años y medio. Pero he aquí que nos llega otra hermosa hija.

Me embargan la sorpresa y una alegría indescriptible. Al contrario que su hermana, de abundante cabello oscuro, Karina muestra una capa de delicado pelo rubio, reminiscencia de mi origen sueco. Sus sólidos rasgos recuerdan notablemente a los del padre de Rodney.

Poco después me ducho y, mientras Rodney saca a nuestra nueva hija de la habitación para que la vean sus abuelos y hermana, ayudo a Jill, nuestra comadrona, a hacer la cama.

Le doy el pecho por primera vez a Karina. Mama confiadamente y, mientras yo sigo tumbada abrazándola tiernamente, Rodney descorcha una botella de champán y todos celebramos su llegada.

Pasa una hora y media antes de que nuestra hija empiece a mostrar los primeros signos claros de que tal vez no esté bien... y todavía pasarán otras dieciséis horas antes de que se nos informe de que Karina podría tener el síndrome de Down.

Cuando repaso retrospectivamente cada uno de los detalles del alumbramiento, apenas encuentro nada que pueda sugerir que nuestra hija iba a ser diferente. Hacia el final del segundo estadio del parto, el ritmo cardíaco descendió repentinamente de los 120 latidos por minuto que había mantenido hasta entonces, lo que hizo que inmediatamente Jill me urgiese a empujar. Rodney acababa de pasar otro paño húmedo por mi frente cuando yo di un último empujón, y en ese momento hizo su aparición Karina.

Más tarde Jill dice que en aquel momento no había indicaciones que la obligasen a preocuparse especialmente del bebé. Las señales clínicas simplemente le habían transmitido el mensaje «¡Expulsa al bebé!». Si el ritmo cardíaco hubiese sido el correcto, ella sin duda habría dejado que yo me tomase todo el tiempo del mundo en este último estadio del alumbramiento.

Inmediatamente después de su nacimiento, estrecho entre mis brazos nuestro último pequeño milagro para examinarlo de cerca. Tengo la sensación de que es algo muy «blando»... No recuerdo que Danika hubiese sido así..., pero más que de preocupación fue una sensación de curiosidad. ¡Los signos positivos que me invitan a gozar del momento son sin duda mucho más numerosos!

Aunque el nacimiento se ha adelantado dos semanas, Karina muestras los mofletes y el color rosa de los niños no prematuros.

El alumbramiento ha sido una hermosa experiencia y ella parece fuerte y llena de vida. Cuando Jill aclara la garganta de nuestra hija, ésta llora y empieza a respirar por su cuenta. No asoma por ningún lado la sospecha de que éste no sea el bebé sano que nosotros esperábamos.

Al aplicársele el índice de Apgar, Karina obtiene una puntuación de 8 en el momento del nacimiento y de 10 diez minutos más tarde. Es decir, en pocos minutos pasa de un notable a un excelente. Al nacer pesa 3.150 g, mide 49 cm, su ritmo cardíaco se estabiliza rápidamente en 115 latidos por minuto y la temperatura basal de su cuerpo es la normal de 36 grados. Midió y pesó casi exactamente lo mismo que Danika (49 cm y 3.200 g) al nacer.

Hora y media después del alumbramiento empiezan a aparecer las primeras señales de alarma. La temperatura corporal de Karina y su ritmo cardíaco empiezan a bajar. Cuando le doy el pecho a las 9 de la noche, su temperatura y ritmo cardíaco son preocupantes, por lo que le indico a Jill que es crucial mantenerla caliente y bajo observación. Jill no suele abandonar un hogar antes de que hayan pasado por lo menos cuatro horas después de un nacimiento y, aunque recuerda que se ha de estar vigilante, ella está *siempre* vigilante durante las primeras horas posteriores al parto.

Jill nos dice más tarde que ella había esperado que Karina recobraría el calor después de haber tomado el pecho y haber reposado bien abrigada a mi lado en la cama, pero hacia las 10.30 de la noche está más fría todavía y su ritmo cardíaco es más lento. En ese momento Jill se muestra seriamente preocupada por la vida de Karina y empieza a tomar conciencia de que necesitamos ayuda médica. Ella misma telefonea entonces al hospital infantil Princess Margaret para comunicarles que se dirige al centro médico con la niña para someterla a lo que nosotros pensábamos no pasaría de ser un chequeo rutinario.

Jill cuenta con la ayuda de la madre de Rodney. Shirley ha viajado hasta Perth desde Mandurah con John, el padre de Rodney, para poder asistir al nacimiento y ayudar en los agitados días que siguen al parto. Rodney y yo permaneceremos en casa con Danika y John. De esa manera podremos dormir un poco. Personalmente, estoy convencida de que mañana a primera hora podremos ir a recoger a Karina al hospital, una vez que la niña haya superado este contratiempo momentáneo. Así pues, esa noche dormí bien.

Más tarde esto podría parecer extraño, pero en este preciso momento se presenta como la cosa más natural del mundo.

*

Posteriormente se nos informó por parte de los médicos que la atendieron que Karina se había mostrado muy activa. Se opuso tenazmente a todas las tentativas de introducirle un tubo en la garganta, hasta el punto de que enseguida se abandonó esa idea.

Para Jill, la resistencia de Karina es una señal alentadora:

> Ello vino a demostrar que esta niña estaba llena de vida. Por otra parte, el hecho de que su abuela estuviese con ella era para mí muy tranquilizador [...]. Recuerdo haberme sentido muy cómoda al confiar Karina a Shirley cuando nos dirigíamos al hospital, dejando que Gun y Rodney descansasen.

Karina respondió rápidamente al oxígeno que le administraron y a continuación fue trasladada a la unidad de recién nacidos, donde fue colocada en una incubadora para que su temperatura corporal recuperase de nuevo los valores normales. Le cortaron la camiseta, le apartaron el pañal y le tomaron algunas muestras de sangre. También le hicieron dos fotografías, como se acostumbra a hacer en tales casos, en que existe la posibilidad de que el bebé no consiga sobrevivir.

*

En la zona de recepción de enfermos del hospital uno de los médicos sugiere por primera vez que nuestra hija podría padecer algún tipo de síndrome. Jill dirá posteriormente que cree que también ella consideró por primera vez esta misma posibilidad. Ella y Shirley deciden por su cuenta no decirnos nada de momento, sino esperar y dejar que sea el pediatra quien nos lo comunique por la mañana.

Muy temprano telefoneo al hospital para informarme sobre el estado de Karina. Una enfermera me dice que está reaccionando perfectamente, pero que es una niña que no está bien del todo. Inmediatamente se despiertan en mí sentimientos de culpabilidad. ¿Me considera acaso negligente la enfermera por no estar en el hospital al lado de mi hijita?

Sigo viviendo en una nube. En realidad, me siento absolutamente dominada por la experiencia positiva del alumbramiento y de mi adorable hijita como para preocuparme de este chequeo «rutinario». Desde mi punto de vista, Karina simplemente ha tenido un pequeño contratiempo después de nacer y se encuentra hospitalizada por precaución. Rodney y yo hemos disfrutado de un feliz y relajado desayuno antes de salir para el centro médico. Son aproximadamente las 8.30 de la mañana y yo me encuentro bien, moviéndome con toda comodidad.

Nuestra desbordante alegría y actitud festiva de la noche pasada contrastan con los sentimientos que nos embargan al ver a Karina esta mañana.

Nuestra hijita vino al mundo en el ambiente feliz y cálido de nuestro hogar. Ahora, se encuentra en una unidad hospitalaria de reción nacidos brillantemente iluminada, metida en una incubadora de plástico, conectada con tubos y cables. Parece tan artificial e innecesario... Todavía me cuesta comprender que realmente algo no va bien.

El personal del hospital no pudo mostrarse más atento. Tienen en cuenta hasta el último detalle. Nos preparan una habitación y nos ayudan a instalarnos en ella. Durante los próximos días estarán enteramente a nuestra disposición para responder a todas nuestras preguntas. Manipulan a los bebés en la unidad de recién nacidos con tanto amor y delicadeza que nos sentimos absolutamente tranquilos sabiendo que harán por Karina todo lo que se pueda hacer. Los otros bebés de la unidad parecen diminutos y frágiles, mientras que Karina aparece de color sonrosado, gorda y bien alimentada, por lo que no nos preocupa excesivamente el tema de su seguridad.

Retiro a Karina de la incubadora para darle el pecho mientras esperamos al pediatra. Tarda una eternidad en venir a hablar con nosotros y, cuando lo hace, la noticia que nos comunica nos deja paralizados. Dice que existe la posibilidad de que Karina padezca un desorden cromosómico, como el síndrome de Down. Sólo después de que él nos describa los síntomas visibles de dicho síndrome —y Karina los manifiesta— empezamos a comprender que seguramente tiene razón.

Sin que mis ojos apenas los vean, reparo en la presencia de otra comadrona y de diversas personas a nuestro alrededor. Parecen flotar dentro y fuera de mi conciencia, se muestran conmocionados, tristes, y como si quisieran hacer algo en nuestra ayuda. El tiempo parece haberse detenido. Sin perder la calma, entrego a Karina a una enfermera y, acto seguido, Rodney y yo nos dirigirnos a la habitación que el personal ha preparado para nosotros y lloramos. Nunca antes habíamos llorado como hoy, y seguramente nunca más lo volveremos a hacer.

Esa misma tarde las puertas de la unidad de recién nacidos se abren para dar paso a Jill que entra con un enorme ramo de narcisos dorados. Este detalle se convertirá en uno de los recuerdos más entrañables y duraderos de ese momento: una visión increíblemente refrescante. Jill recordó que ayer yo había disfrutado citando a Wordsworth y me ha traído alguno de los rayos de sol que siguen brillando aunque a nosotros nos embargue la pena.

2

Tratando de mantenernos a flote: la familia y los amigos

La prueba de los cromosomas confirma el diagnóstico: Karina tiene esa sección extra de cromosoma 21 que da lugar a un bebé con trisomía 21. La noticia positiva es que nuestra hija está viva, despierta y activa, y que su corazón, oído y vista parecen funcionar bien.

Las horas y los días que siguen a este diagnóstico inicial han sido los peores de nuestras vidas. Yo no paro de llorar. ¿Por qué nos ha sucedido a nosotros? Conmocionados y confusos, lloramos la muerte de la hija a la que supucstamente yo había dado a luz y, a pesar de todo, amamos tiernamente a nuestro bebé real. Deseamos a nuestra hija, pero no nos gusta que tenga síndrome de Down. Amamos a Karina y estamos plenamente decididos a llevarla a casa con nosotros. Esperamos que el personal del hospital nos permita recogerla tan pronto como se encuentre lo suficientemente fuerte.

Cuando por fin se conocen los resultados de las pruebas de los cromosomas, nosotros hemos empezado a aceptar la discapacidad. Por diversas razones, el hecho de que Karina haya nacido en casa es un factor que facilita nuestra aceptación de su síndrome de Down. Nosotros recordamos su nacimiento con gozo, y nada podrá sustituir jamás aquellas primeras horas preciosas que vivimos con ella antes del diagnóstico. Entonces todo parecía normal y nosotros creíamos haber tenido un bebé «normal».

Además de hacer frente a nuestros propios sentimientos, en este momento tenemos que informar a nuestras familias.

Shirley, naturalmente, se había enterado de todo esa primera noche, aunque nosotros no nos dimos cuenta de ello hasta llegar al hospital la mañana siguiente. Durante toda la noche soportó el conocimiento de aquello con lo que de una u otra manera nos íbamos a encontrar nosotros. Más tarde Rodney dirá que se había sentido intrigado por adivinar el motivo por el que su madre parecía tan perturbada aquella mañana. Personalmente, había pensado que ella se sentía a disgusto por el hecho de que Karina hubiera tenido que ser ingresada durante algún tiempo en el hospital. Cuando volvemos a casa, le entrega a Rodney una carta en la que expresa su pena y sentimientos.

Comunicárselo a la familia es duro. Su propia pena ante lo que ellos consideran una desgracia personal hace que todo parezca mucho peor.

A mí me resulta difícil responder de manera adecuada a meteduras de pata bien intencionadas como «Tal vez habría sido preferible que ella hubiese desaparecido sin dejar rastro». Las actitudes paternalistas igualmente bien intencionadas de ciertos grupos religiosos, que sugieren que nosotros hemos sido «escogidos» para cuidar de esta niña especial, me parecen vulgares —casi de un humor negro— en un momento en que nosotros estamos comprensiblemente sensibilizados.

¿Y cómo decírselo a los amigos? Echar mano del teléfono y anunciarles de buenas a primeras «Hemos tenido una niña y, entre otras cosas, está afectada de síndrome de Down» es demasiado frívolo. Por otra parte, ofrecerles a cada uno de ellos una descripción minuciosa y detallada de los hechos no haría más que aumentar la angustia que ya sentimos.

Finalmente, me decido a escribir una larga carta, dirigida a todos mis amigos. En ella les comunico la noticia del nacimiento de Karina, les explico su situación médica y trato de describirles mis sentimientos...

[...] ¡Cómo deciros que mi preciosa niña tiene síndrome de Down!

Karina no presenta rasgos físicos acentuados propios del síndrome de Down. El puente de su nariz es tal vez algo más achatado que el de la mayoría de los bebés, pero también es más guapa que muchos niños. Su lengua no es de una longitud exagerada, por lo que no tiene problemas para alimentarse o deglutir. Su tono muscular es algo más flojo que en la mayoría de los niños, pero nuestra hija es activa y patalea y chilla como cualquier otro bebé.

Estos niños también tienden a padecer dificultades cardíacas, pero el corazón de Karina responde magníficamente. Se supone que las enfermedades comunes afectan a los niños con síndrome de Down más que a los otros, pero con una salud general buena no existen razones para pensar que ella vaya a sufrir por este motivo.

Sin embargo, estos niños necesitan más ayuda para alcanzar determinados objetivos. En la actualidad, cuando tienen la edad apropiada, entran a menudo en la escuela normal, donde los maestros les ayudan a desarrollar todas sus potencialidades.

Y cuando dejan la escuela, se procura sobre todo que estén en condiciones de llevar una vida independiente y que encuentren una profesión que se adapte a sus capacidades. Exactamente igual que los otros niños.

[...] Para mí, lo más difícil de superar es el enorme cúmulo de prejuicios que tiene la gente sobre los niños discapacitados. Y aquí es donde nos vemos atrapados muchos de nosotros. Pero, viviendo ahora con Karina, y mirando hacia el futuro, mis aspiraciones con respecto a ella son las mismas que con respecto a Danika. Deseo que ambas encuentren la felicidad y el éxito en sus vidas [...].

A decir verdad, llegué a cerrar los sobres, pero las cartas en cuestión nunca se echaron al correo. No importa. El simple hecho de escribir me ayuda a clarificar mis propios sentimientos como parte del proceso de aceptación de lo que nos ha ocurrido y continuará siendo para mí una actividad terapéutica.

Cuando, finalmente, me decido a telefonear a mis amigos, su reacción generalmente tranquila constituye un grato desahogo de los intensos sentimientos que nos tienen bloqueados. Tal vez ellos pueden permitirse estar tranquilos. Después de todo, no ha sido un miembro de su familia el que ha nacido con el síndrome de Down. Pero, en un momento en el que todo a nuestro alrededor parece irreal, su apoyo y normalidad nos ayuda a mantenernos a flote.

3

Ayuda

Karina sólo permanece en el hospital tres días. Estamos deseando que vuelva a casa con nosotros.

En la habitación adjunta a la sala de los recién nacidos establecemos el primer contacto con un trabajador social. Es nuestro primer vínculo con los numerosos servicios de apoyo a las familias que están en parecidas condiciones que la nuestra.

El trabajador social nos anima a contactar con la Asociación del Síndrome de Down, una organización que nos prestará un inestimable apoyo en estos primeros momentos. La mayor parte de las familias integradas en ella cuentan con un niño con síndrome de Down, por lo que conocen como nadie lo mal que lo pueden estar pasando las familias que se ven por primera vez en semejante situación.

Es un verdadero alivio, en estas primeras semanas, recibir la visita de una pareja de la Asociación con sus dos hijos, uno de ellos con síndrome de Down. Resulta tranquilizador ver que el hecho de tener un niño con esas características no supone un problema insuperable para ellos.

Las semanas siguientes al nacimiento de Karina constituyen un verdadero torbellino, con citas y compromisos constantes. Durante los dos o tres primeros meses nos vemos con algún tipo de especialista, trabajador social o servicio de apoyo una o dos veces por semana, y todo ello a pesar de que nosotros seguimos conmocionados. Ni siquiera se plantea la cuestión de que yo vuelva a trabajar fuera de casa, al menos por ahora.

Esta actividad de vértigo tiene, a pesar de todo, su lado positivo: nos obliga a hablar con otras personas y nos aporta apoyo emocional en un momento en el que todavía estamos aprendiendo qué significa el hecho de tener un hijo con síndrome de Down.

No obstante, de momento a mí me resulta muy duro sacar a Karina fuera de casa. Puesto que tengo otra hija, Danika, no puede pasar mucho tiempo después del nacimiento de Karina sin que haya de sumarme, por mucho que me cueste, al ajetreo diario de las madres que llevan a sus hijos a la escuela, ansiedades inherentes al hecho de ser la madre de una niña con una discapacidad perceptible externamente... ¿Cómo explicarles a las otras madres que mi hijita tiene síndrome de Down?

El primer día que vuelvo a hacer el recorrido de la escuela me doy cuenta de que dejo a Karina en su sillita del coche. Estoy llena de dudas acerca de cómo pueden reaccionar otras personas ante ella y acerca de cómo voy a responder personalmente a tales reacciones. Estos días no se necesita gran cosa para que yo me refugie en las lágrimas.

Inevitablemente, se extiende la voz de que nuestra nueva hijita se encuentra en el coche, lo que hace que se forme un pequeño tropel de personas para verla. Es un tremendo alivio comprobar que otros, a pesar de la curiosidad que puedan sentir, se muestran despreocupados por el síndrome de Down. La reacción que yo temía está en mi mente, no en la de las otras personas. A medida que continuamos sacando con nosotros a Karina, nos damos cuenta de que, en el peor de los casos, son más las personas totalmente extrañas que se acercan a nosotros para expresar la admiración que sienten por ella de las que lo harían en el caso de que nuestra hija no tuviese una discapacidad. No puedo ir de compras sin que alguien me pare para charlar, y esto va a continuar durante otros tres años. Esta experiencia me abre los ojos a la realidad de cómo muchas personas mantienen contacto con quienes están afectados de una discapacidad.

Uno de los hechos más conmovedores se produce cuando Karina apenas tiene algunas semanas de vida. Nos encontramos en un restaurante budista para celebrar el cumpleaños de un amigo y los propietarios del restaurante se dan cuenta de que Karina tiene síndrome de Down. Se entretienen algunos instantes con nosotros y, una vez acabada la comida, vuelven con un regalo: un trozo de hilo rojo de oración que ha sido bendecido por el Dalai Lama. Nos conmovió profundamente que le regalasen a Karina algo que, obviamente, era muy apreciado por ellos.

Cuando Karina cumple seis semanas de vida la apunto a un centro de atención de día. Pasará en él varias horas a la semana cuando yo vuelva parcialmente al trabajo y al estudio, y, aunque a mí me resulta terriblemente duro acompañarla el primer día, semejante iniciativa se revelará una de las mejores decisiones que yo podría tomar. Karina se aprovecha del cariñoso apoyo que recibe en el centro, en particular por parte de uno de los miembros de la plantilla que está especialmente interesado en trabajar con bebés discapacitados.

En este momento, para mí reviste singular importancia el hecho de que Karina sea aceptada con tanta facilidad. Siento hasta cierto punto la necesidad de pedir disculpas porque temíamos que se nos rechazase, ya que hacerse cargo de un bebé con síndrome de Down supondría una carga excesiva, pero la verdad es que Karina no pudo ser mejor acogida. Esto viene a confirmar mi esperanza de que nuestra hija será aceptada también en la comunidad más amplia.

Además de ayudarla a ella, el equipo del centro de atención de día representa para mí un apoyo inestimable. He dejado de sentir que soy yo la única que se preocupa por Karina, y la atención de día se convierte en una extensión vital para nuestra red de apoyo.

Con el tiempo llegaré a ver que yo misma necesitaba creer que mi hija tenía un futuro en la comunidad, que la vida seguía ofreciéndole alguna esperanza. Una vez que crea en eso, estaré en condiciones de ayudarla a hacer realidad sus potencialidades.

Más tarde he visto también que durante aquellas primeras semanas yo andaba probablemente tan enfrascada en la lectura de todo lo que caía en mis manos acerca del síndrome de Down que mi visión del mundo empezaba a distorsionarse. Ahora empiezo a reconocer estos hechos porque, después de tres o cuatro meses, me siento con fuerzas para aflojar un poco mi dependencia de la Asociación y vuelvo al mundo tal como lo conocí en otro tiempo.

Aunque finalmente acepte la idea de que jamás vamos a «superarlo», reconozco que cada día nos las arreglamos mejor para vivir con el síndrome de Down, hasta el punto de que yo he llegado a lamentar ahora el que no hubiese sabido utilizar mejor otros magníficos servicios e instituciones de apoyo durante los primeros años. El trabajo y la familia me absorben la mayor parte del tiempo, sin embargo... paso por alto sin más el hecho de que todos nosotros podríamos beneficiarnos de cierta ayuda externa. Parece más fácil seguir adelante como siempre que complicarse la vida organizando otra cosa nueva.

Yo también caigo en la trampa de sentir que hay otras muchas familias mucho más necesitadas que la nuestra. El hecho de tener una hija discapacitada nos ha hecho más conscientes del abanico de discapacidades existente en la comunidad y de lo penoso que algunas de ellas pueden resultar para las familias afectadas. Comparada con la de otras personas, nuestra situación no parece en realidad tan mala, o al menos así nos lo confesamos a nosotros mismos. Más tarde comprenderé que esta actitud de «aguantarlo todo sin rechistar» es una responsabilidad que, por una parte, ahoga todas nuestras llamadas de auxilio —un auxilio que nos es muy necesario— y, por otra parte, hace que nosotros mismos nos esforcemos hasta el límite de nuestras fuerzas físicas, mentales y emocionales.

Pasarán todavía tres años, cuando yo trabaje de nuevo media jornada y estudie otra media jornada, Danika esté en la escuela y Joshua sea un recién nacido, antes de tomar en consideración la posibilidad de recurrir a algunas ayudas. En ese momento Karina será una chiquita sumamente activa que da los primeros pasos y yo estaré agotada. Atendiendo a la sugerencia de un asistente social de Disability Services [Servicios por Discapacidad], quien no sólo me sugiere la necesidad de ayuda, sino que además se ofrece amablemente a hacer un seguimiento de la misma y a organizarla para mí, empiezo finalmente a utilizar los servicios disponibles en la comunidad.

Una vez que Rodney y yo decidimos aceptar esta asistencia, contamos con ayuda a domicilio dos doras cada quince días. Es un servicio subvencionado organizado por el grupo de apoyo de nuestra comunidad local. Cuando yo estoy enferma y no puedo cuidar personalmente de Karina y Joshua, y tampoco se cuenta en ese momento con la ayuda de algún familiar o amigo, telefoneamos a Crisis Care [Asistencia en situación de Crisis] para que ellos se ocupen de los niños hasta que Rodney vuelva a casa.

A través de Disability Services, siempre que lo necesitamos, contamos con la ayuda de un psicólogo para superar determinadas etapas críticas (por ejemplo, después del nacimiento de Joshua, mientras yo aprendo a contrapesar la conducta errática de una niña activa que da los primeros pasos por su cuenta con la conducta de un recién nacido) y de centros de atención de día. Cuando Karina comienza a asistir a la escuela, la atención que hay que prestarle antes y después de la escuela se convierte en parte importante de nuestra red de apoyo.

También podremos contar con un servicio de atención a domicilio y de canguro. Nos lo prestará Activ Foundation [Fundación Activa] (véase el glosario) cuando lo necesitemos ocasionalmente por salidas nocturnas o fines de semana fuera de casa. Una o dos veces al año, Rodney y yo podremos retirarnos al justamente denominado Refugio de Cuidadores, una casa situada al lado del río en South Perth, y, a medida que Karina vaya creciendo, dispondremos de más servicios que nos permitirán tomar un respiro.

Otras personas me dicen ahora que, en su opinión, yo me he portado «maravillosamente» por haberme atrevido a hacer frente todos estos años al problema de la discapacidad de nuestra hija y, aunque acepto estos cumplidos, en realidad me considero sencillamente estúpida por no haber utilizado antes las ayudas puestas a mi disposición. A veces la cosa más difícil es echar mano del teléfono y decir sin más: «Tengo un hijo discapacitado y estoy pasando por un mal momento, ¿me podéis ayudar?».

Una heroína maniática, cansada, no es buena para nadie, pero representa una faceta estrafalaria de la naturaleza humana que nos aplaude por ser mártires. Es penoso que muchas personas te pregunten: «¿Cómo te las vas arreglando?», y que únicamente esperen una respuesta positiva. Paradójicamente, si les das una respuesta sincera, corres el riesgo de cargar con la etiqueta socialmente inaceptable de «llorica».

Los servicios están ahí para que los utilicen las familias que los necesitan, de otro modo la provisión de fondo se agota y el servicio muere, lo que no beneficia a nadie. Aunque personalmente he aprendido por fin a no sentirme menos persona si tengo que pedir ayuda, esto era algo que no sabía cómo hacerlo en aquellos primeros días.

4

Pegatinas en la puerta del frigorífico

Pasados los tres primeros meses se establece gradualmente una cierta pauta y todos nos adaptamos mejor a las frecuentes citas médicas. Apuntamos a Karina en el Authority for Intellectually Handicapped Persons [Registro de Personas Intelectualmente Impedidas], más comúnmente conocido en Australia como Irrabeena y posteriormente como Disability Services Commission [Comisión de Servicios por Discapacidad]. (Para evitar confusiones, de ahora en adelante me referiré a esta admirable agencia de apoyo como Disability Services.)

Disability Services está financiada por el gobierno del Estado y ha puesto en marcha un Programa de Intervención Temprana destinado a atender las necesidades de los bebés y los niños pequeños discapacitados, y a ayudarles a que desarrollen sus potencialidades.

Para nosotros, ese programa resultó de un valor incalculable por los objetivos que pone al alcance de Karina y porque a nosotros nos muestra cómo podemos contribuir a su desarrollo personal y disfrute de la vida.

Sabemos que la mayoría de los niños enseña a sus padres cómo pueden participar en una serie de juegos importantes para el desarrollo infantil. Una carita mirando con ojos de miope alrededor de la esquina de un armario, por ejemplo, provoca una exclamación de asombro por parte de los padres, e inmediatamente empieza uno de los juegos basados en la relación causa-efecto necesarios para el desarrollo del lenguaje. La mayor parte de los niños consiguen que sus padres participen en este enredo sin que nadie sea consciente de la teoría.

Antes de que nuestras experiencias con Karina nos hicieran más conscientes de la teoría que subyace al juego del niño, nosotros realmente no intuíamos su trascendencia. Tampoco habíamos necesitado hacerlo. El desarrollo de Danika se había producido de forma tan rápida y natural que raramente nos habíamos parado a reflexionar sobre el tema. Pero enseguida comprendimos que Karina no iba a iniciar los juegos necesarios para su desarrollo con la misma rapidez. Fue en parte gracias al personal de Disability Services y al Programa de Intervención Temprana que aprendimos muchas de las habilidades necesarias para guiar y motivar a nuestra hija.

Nuestro primer contacto con Disability Services tiene lugar en agosto de 1990, dieciocho días después del nacimiento de Karina. El personal de Disability Services sugiere entonces que nuestra hija sea evaluada por un terapeuta ocupacional, un terapeuta del lenguaje y un fisioterapeuta. Aunque nos parecen muchos especialistas, aceptamos su consejo de que Karina sea visitada en casa. Para empezar, la verá un fisioterapeuta una vez a la semana. El fisioterapeuta elaborará un programa de ejercicios adecuados al desarrollo de Karina para maximizar el ritmo de su desarrollo general y nos explicará las razones de cada ejercicio para que nosotros podamos continuarlos en casa entre cada una de sus visitas.

La rutina que imponen estos ejercicios resulta tranquilizadora después de haber estado unos cuantos días adaptando nuestras vidas a citas sin orden ni concierto. El hecho de participar activamente en el programa hace renacer en nosotros la esperanza: ahora sentimos que nos movemos, que empezamos a hacer lo mejor que está en nuestras manos por Karina.

(Seis años más tarde, un asistente social, representante de los tres tipos de terapia antes mencionados, continúa siendo nuestro principal intermediario. Él nos pone en contacto con especialistas en las áreas troncales a medida que los necesitamos. El desarrollo de Karina es reevaluado de forma regular, y a medida que progresan sus habilidades se le añaden nuevas tareas.)

Enseguida se pone de manifiesto que el auténtico valor de las sesiones de fisioterapia y terapia ocupacional reside en el hecho de que a través de ellas nosotros descubrimos qué podemos hacer para ayudar a nuestra hija entre cada una de dichas sesiones. El trabajo real empieza cuando nos deja el terapeuta. En este sentido, no me canso de buscar maneras de incorporar en nuestras vidas actividades capaces de convertir el aprendizaje en una experiencia gozosa para Karina y en un componente natural de la rutina diaria para el resto de la familia.

Para mí es importante asistir personalmente a cada una de las sesiones, escuchar, observar y hacer preguntas. Además, le pido al terapeuta que me ponga por escrito en lenguaje sencillo las actividades que nosotros podemos realizar antes del siguiente encuentro. Estas sugerencias terminan pegadas en la puerta del frigorífico. Escritas con caracteres en que el color negro contrasta agudamente con el blanco, me sirven de recordatorio para los últimos días de la semana, cuando inevitablemente la memoria se vuelve borrosa.

Siento que esta interacción es muy importante. De esta manera, los fisioterapeutas y asistentes sociales no se limitan a ofrecernos un servicio del que nosotros nos aprovechamos una vez a la semana; en realidad nos están pertrechando con las habilidades que necesitamos para ayudar a Karina a desarrollar la fuerza, coordinación y voluntad suficientes para que, finalmente, ella haga las cosas por sí misma.

A lo largo de este primer año he escrito un diario para que quede constancia de los principales logros de Karina y para apuntar algunas palabras clave («anímala a balancearse, a levantar la cabeza», etc.) que refresquen mi memoria acerca de las áreas consideradas de suma importancia por los terapeutas. Esto me ayuda en momentos en que, como toda nueva madre, estoy extremadamente cansada.

Los papelitos en la puerta del frigorífico también son útiles para Rodney. A él le resulta más duro incorporar las sugerencias de los terapeutas en nuestra rutina cotidiana. Él es después de todo el miembro de la pareja que en este momento sostiene a la familia trabajando fuera de casa. Como es natural, sus contactos con Karina y con el equipo de Disability Services son menos intensos que los míos.

A veces me cuesta aceptar el trabajo extra que recae sobre mí simplemente porque soy la «cuidadora primaria». Veo que mi vida está cada día más comprometida con las necesidades especiales de Karina: un papel muy diferente del que tengo que desempeñar por mi implicación en las necesidades «normales» de Danika. Todo ello resulta a veces muy desalentador. No es esto lo que originalmente yo planeé hacer con mi vida.

Rodney y yo hablamos a menudo de estos temas, ayudándonos mutuamente a aceptar de corazón el rumbo ligeramente alterado que han tomado nuestras vidas. En un matrimonio no hay nada que pueda sustituir la buena comunicación, y el hecho de tener un hijo discapacitado subraya todavía más esta necesidad. En nuestro caso, esta experiencia está fortaleciendo nuestra relación, lo que redunda en beneficio de todos nuestros hijos.

5

Los niños no nacen caminando

Los padres de los niños con un desarrollo estándar observan con gozo cada uno de los progresos evidentes que hacen sus hijos. El gateo. El primer paso. La primera palabra. ¡Éxito con el orinal! A medida que nuestro hijo da esos pasos aparentemente pequeños hacia su independencia, nuestro orgullo de padres puede pillarnos por sorpresa.

Las cosas son muy diferentes para los padres de una niña como Karina.

Nosotros pasamos gran parte de nuestro tiempo estimulando a nuestra hija para que supere las múltiples pequeñas metas que preparan la superación de cada paso importante de su desarrollo, y nunca aprendemos a dar por sentadas las pequeñas cosas, que en realidad son el fundamento de todos los logros posteriores.

Cuando Karina levanta por primera vez la cabeza y mira brevemente a su alrededor, nos sentimos emocionados y lloramos de alegría. Esto significa que nuestra hija ha dado un paso importante en la exploración de su mundo y enseguida telefoneamos a nuestros familiares y amigos para compartir con ellos la noticia.

Esto resulta a veces duro, pero con el tiempo estamos cada vez menos interesados en comparar el lento desarrollo de nuestra hija con el de otros niños. Las comparaciones son buenas cuando son simplemente eso, comparaciones, pero pueden convertirse en causa de frustración y tristeza cuando un niño sufre un retraso en su desarrollo.

Por nuestra parte, queremos aprender a fijarnos más en la persona de Karina y en lo que ella es capaz de hacer y menos en lo que supuestamente debería conseguir o no puede hacer. Cada pequeño paso que da en dirección de los hitos importantes de su desarrollo es para nosotros fuente de gozo, como lo es cada uno de sus abrazos y sonrisas. Esto mismo lo hacemos con todos nuestros hijos. Aunque no perdemos nunca de vista los grandes hitos de su desarrollo, no nos prefijamos un límite temporal para que los supere.

Karina alcanzará las metas que consiguen la mayoría de los niños en su desarrollo, pero no lo hará necesariamente en el mismo tiempo y por el mismo orden. Esto se debe en parte a que sus señalizaciones del aprendizaje aparecen borrosas y no es capaz de comprender o recordar cosas con la misma facilidad que la mayor parte de los niños. Padece presbicia, en su ojo derecho tiene coloboma (retina incompleta), su capacidad auditiva está reducida, aunque sea difícil precisar en qué medida exacta. Si se tienen en cuenta todas estas cosas, es comprensible que necesite mucho más tiempo para aprender.

Nosotros aceptamos su problema y trabajamos con ella y a su ritmo.

El desarrollo temprano de Karina podemos trazarlo utilizando las observaciones de mi diario, los informes de Disability Services y las anotaciones hechas por el personal del servicio con ocasión de cada visita.

21 de noviembre de 1990:

Karina tiene ahora 3 meses y medio. Es muy «pegajosa» y el mes pasado sonrió por primera vez. No puedo por menos de comparar su lento ritmo de desarrollo con el de Danika cuando tenía su misma edad.

Ahora puede mantener erguida la cabeza durante un momento

sin apoyarla mientras descansa contra mi hombro y nosotros la animamos a que lo haga más a menudo.

Para fortalecer los músculos de su cuello y de esa manera mejorar su control de la cabeza, agarro sus manos y tiro suavemente de ella hacia adelante y hacia arriba cuando está tumbada de espaldas. Es un juego que practicamos también a la hora de cambiarle los pañales.

Todavía es muy «blanda» y no consigue mover la cabeza hacia el centro o de parte a parte cuando está tumbada de espaldas. He empezado a utilizar juguetes brillantes, ruidosos y llamativos para animarla a que fije la mirada sobre objetos situados a ambos lados de su cabeza y a que siga su lento movimiento arriba y abajo y de un lado al otro. Al volver sus ojos y su cara hacia un objeto que se desplaza en este mismo sentido adquirirá mayor conciencia de su cuerpo en el espacio, algo necesario si finalmente tiene que aprender a darse la vuelta completa.

Únicamente intenta girar hacia la izquierda o la derecha cuando está recostada de ese mismo lado. Dedicamos mucho tiempo a estimularla para que se dé la vuelta completa y a enseñarle cómo se hace este movimiento. Al tiempo que la sostenemos y sujetamos sus piernas y caderas y movemos sus brazos y cabeza, la volvemos de la posición de espalda a la posición de lado y a continuación a la posición de decúbito prono. Y así una y otra vez.

También la animamos a que junte sus manos, cuando está tumbada de espaldas y cuando está de lado, para que de ese modo desarrolle su conciencia de la línea central corporal.

He observado que a Karina no le gusta nada estar «pegada» sobre su vientre donde no pueda mirar a su alrededor. Por lo menos, cuando está tumbada de espaldas puede ver alguna cosa de las que hay en su entorno. Tengo que reprimir mi tendencia instintiva a apoyarla sobre almohadas para aliviar su frustración por no ser capaz de moverse por sí misma porque, si yo hago todo el trabajo por ella en todas las ocasiones, necesitará mucho más tiempo para desarrollar la fuerza, la coordinación y la voluntad necesarias para cambiar de posición por sí misma.

Suelo llevar de acá para allá a Karina en una mochila portabebé, en realidad una «mochila de mono»: su cuerpo descansa sobre mi brazo, con la cara hacia fuera y los brazos y las piernas cuelgan libremente. Es una postura muy cómoda para ella y además resulta más estimulante que la posición de transporte estándar, en la que su cara quedaría enterrada dentro de mi hombro.

El alcance de la vista de Karina parece escaso. No mira directamente los objetos. He de recordar que sus ojos fueron sometidos a un chequeo muy pronto.

14 de diciembre de 1990:

Mamá cuidó de las chicas, de manera que Rodney y yo pudimos ir de compras, e introdujo un cambio importante en la alimentación de Karina. Descubrió que era más rápido y más fácil darle su preparado con una cuchara que con la botella, para lo cual le «regateó» el preparado hasta metérselo en la boca y después le acarició suavemente la garganta para estimularla a que tragase, exactamente como tú acariciarías a un gato para que tragase una gragea.

Cuando Karina no está conmigo para que pueda darle el pecho, la alimentamos con biberón. Esta tarea es siempre lenta al principio porque sus escasos control muscular y coordinación le dificultan la acción de rodear la tetina con la lengua. Para los bebés con una lengua alargada —una de las características de los niños con síndrome de Down que afortunadamente Karina no posee— esta acción ha de resultarles más difícil todavía.

Estoy experimentando un nuevo tipo de tetina cada semana. Ninguna parece adecuada. Todas son demasiado duras para que las chupe. Durante algunas semanas por lo menos hemos tenido cierto éxito utilizando el pulgar de un guante de caucho aplicado sobre la boca del biberón. Resulta lo suficientemente blando para Karina y el preparado simplemente penetra a través de un agujero dentro del pulgar y de éste pasa a la boca de la niña.

Después del descubrimiento de mamá, otras personas han empezado a utilizar el método de la cuchara para dar de comer a Karina. Lo encuentran mucho más fácil que el biberón.

Estos problemas relacionados con la alimentación han influido, entre otras razones, en mi decisión de dar el pecho a Karina hasta que tenga 18 meses. Una vez que se agarra al pecho, la «leche baja» y pasa a su boca. A medida que aumente su control muscular, el problema de la alimentación disminuirá.

17 de diciembre de 1990:

Karina tiene ahora 4 meses y medio y «está rodeada de música en todos los lugares adonde va» gracias a las campanillas que hemos atado a sus muñecas y tobillos. Además, los calcetines que cubren sus pies están adornados con caras o campanillas que van cosidas a ellos. Parece que mueve los brazos y las piernas deliberadamente para que suenen las campanillas. Con todo esto pretendemos ayudarle a que se haga consciente de su cuerpo en el espacio.

Ahora, cuando Karina se gira estando de espaldas para adoptar la posición de decúbito prono, le levantamos ligeramente el tronco para permitirle que saque su brazo.

18 de diciembre de 1990:

Fui a hacer la compra de Navidad. Volví a casa, descargué el coche, saqué lo que había comprado y ¡diez minutos más tarde me di cuenta de que Karina seguía en el garaje en su silla del coche! A veces es tan tranquila y poco exigente, y tampoco se mueve mucho, que no es difícil olvidarse de que está ahí.

8 de enero de 1991:

Todo el mundo llora a la hora de cambiarle los pañales. Este tiempo tan caluroso no está contribuyendo a que Karina supere su estreñimiento, que es muy doloroso para ella y angustioso para nosotros. Grita siempre que hace de vientre, lo que sucede cada dos o tres días.

Nosotros le damos más agua, pero beber de un biberón es una tarea lenta y a ella le resulta difícil.

El masaje infantil y los ejercicios de «bicicleta», que son tan eficaces para la mayoría de los niños, a Karina no parecen ayudarla en absoluto. Todo lo que nosotros podemos hacer es cuidarla mientras siga así.

Como último recurso algunas veces le ponemos unas gotas de laxante infantil en el biberón. Esto sólo lo hacemos cuando las cosas se presentan realmente mal, puesto que no deseamos que Karina cree una dependencia respecto al laxante.

Como muchos otros niños con síndrome de Down, Karina no se despierta exigiendo que le demos de comer, aunque realmente tenga hambre. Tenemos que despertarla nosotros para asegurarnos de que recibe el líquido y el alimento que tan perentoriamente necesita.

Poco más o menos al cumplir los 6 meses, mucho antes de que sea capaz de disfrutar por adelantado del «momento clave» de los juegos, percibe por adelantado el dolor de una deposición de vientre y comienza a chillar entre cinco y diez minutos antes de que ésta se produzca.

Como bebé que empieza a moverse por su cuenta, ha de disponer a cada momento de cantidad de agua que ella bebe a sorbitos. Tratamos de añadir más fibra a su dieta, recurrimos a las infusiones de hierbas, al zumo de ciruela y a otros remedios; sin embargo, pocas de estas soluciones muestran alguna eficacia.

Esta situación va a continuar, especialmente en el tiempo caluroso, hasta que Karina fortalezca sus músculos del vientre. También se hará más fácil cuando mejore su capacidad para beber y, consiguientemente, beba más líquidos.

A medida que se hace mayor, hay una mejoría en el sentido de que puede beber sin ayuda de otros y a voluntad, y puede manifestarnos cuándo tiene sed.

14 de enero de 1991:

Dedicamos mucho tiempo a estimularla para que levante la cabeza y para que gire su cuerpo de lado a lado.

Me tumbo de vientre mirando a Karina, que igualmente está tumbada de vientre, y la llamo intentando que levante su vista hacia mí. Un pañal enrollado, colocado bajo su pecho, le ofrece un pequeño apoyo.

También la estimulo para que levante la cabeza cuando, estando recostada sobre mi brazo, se encuentra en posición de mirar hacia abajo.

Otro juego que nos hace reír tontamente a todos consiste en sentarla a horcajadas en mi pierna y balancearla a ambos lados, animándola a que mantenga erguida la cabeza.

12 de febrero de 1991:

Karina ha empezado a hacer más caso a otros niños mientras está en el centro de atención de día.

13 de febrero de 1991:

Karina acaba de cumplir exactamente 7 meses de edad y a mí me preocupa mucho su lento ritmo de desarrollo.

El desarrollo del control de la cabeza parece especialmente lento. Cuando desplazamos, poco a poco, un juguete ruidoso delante de ella a la altura de la frente es como si por un momento cerrase los ojos. Sólo hace caso de él cuando el juguete se encuentra directamente frente a ella, pero se muestra incapaz de coordinar el movimiento de la cabeza y de los ojos para seguirlo.

Por este motivo ahora tratamos de animar a Karina a que mire entre dos objetos, agitando primero uno y después el otro para ver si ella mira hacia el objeto que se mueve. Estamos empezando a utilizar juguetes ruidosos y posteriormente lo intentaremos con otros que no lo son. También pensamos continuar animándola a seguir con la vista objetos en movimiento: arriba, abajo, a través y alrededor. Otros juegos que se nos han sugerido y que estamos probando ahora son: observar juguetes que caen al suelo, golpear juguetes contra superficies, y esconder y destapar la cara con una hoja de papel.

Karina parece no haber avanzado nada cuando está tumbada de vientre.

Uno de los métodos que todavía seguimos utilizando para tratar de animarla a que mueva la cabeza consiste en que me tumbo de espaldas en el suelo con Karina sobre mi vientre, mirando hacia mí, y mientras tanto le hablo.

Otro ejercicio que hacemos consiste en apoyar su pecho sobre una toalla enrollada con juguetes frente a ella. Esto eleva su pecho y sus hombros del suelo y está pensado con vistas a hacerle más fácil y, por consiguiente, más interesante la práctica de utilizar sus brazos y manos para elevarse ella misma.

Karina es feliz tumbada de espaldas, pegándose y agarrándose ahora a sus pies, que aparta de cualquier superficie que esté a su alcance. Cuando está tumbada de lado, empieza a desplazar su cuerpo poco a poco hacia la posición previa al giro completo de espaldas.

Su cabeza no pende ya llamativamente cuando tiramos de ella hacia arriba para dejarla en posición sedente.

19 de febrero de 1991:

Es tranquilizador ver a los bebes más pequeños en el centro de atención de día. Parecen totalmente desvalidos. ¡Los niños no nacen caminando! Tal vez, después de todo, Karina no esté tan retrasada como habíamos pensado.

3 de marzo de 1991:

Estando tumbada en la cama, Karina miró hacia mí y sonrió.

6 de marzo de 1991:

Hoy Karina se ha girado varias veces: estaba de espaldas y se ha puesto de frente y, estando de frente, dio un «tumbo» y se puso de espaldas. Ahora, además, puede seguir un objeto con la vista y con la cabeza cuando está sentada.

10 de marzo de 1991:

Karina siguió con los ojos y la cabeza un objeto que nosotros habíamos dejado caer. Además, examinó detenidamente a su hermana mientras dormía, tocándola y haciendo ruidos suaves.

12 de marzo de 1991:

Karina se ha erguido sobre sus codos y mira alrededor. Alarga la mano para tocar objetos, aunque nadie los agite para llamar su atención.

15 de marzo de 1991:

¡Progresa! Karina ha empezado a darse media vuelta: de la posición de espaldas pasa a la posición de frente y de ésta, ocasionalmente, de nuevo a la posición de espaldas.

También ha empezado a apoyarse en sus antebrazos y a levantar la cabeza mientras está tumbada de vientre, sostenida por una toalla enrollada. Ocasionalmente tira de sí misma hacia arriba sobre su brazo extendido.

Continuamos animándola a que levante la vista para mirar objetos o caras cuando está tumbada sobre su vientre o encima de una toalla. Me agacho sobre mis rodillas, al tiempo que le hablo, para tratar de que ella levante la vista hacia mi cara y la siga de un lado al otro.

También estamos intentando que aguante parte de su peso por medio de sus brazos (rectos) cuando está apoyada en la toalla enrollada que le sirve de almohadilla y por medio de sus codos cuando está en el suelo.

Para facilitarle el giro desde la posición de frente a la posición de espaldas, primero llamamos su atención, después hacemos que siga el movimiento semicircular de un juguete sobre su cabeza de manera que se dé la vuelta. Acariciamos su brazo si vemos que le resulta duro desplazarlo mientras se gira.

Colocados frente a ella, tratamos también de animarla a que aguante parte de su peso por medio de sus brazos y a que levante sus ojos hacia objetos o caras cuando está sentada.

Para estimularla a que aprenda a sentarse cuando está tumbada de espaldas, hacemos que gire desde la posición de espaldas hasta la posición lateral derecha, después sujetamos su muslo derecho y tiramos de ella suavemente asiéndola del brazo izquierdo, de modo que se apoye en su brazo derecho extendido. A continuación le sujetamos ambas manos y la alzamos suavemente hacia adelante, hasta que adopta una posición sedente apoyada.

Esto lo hacemos cada vez que la levantamos. Ella tiene que poner algo de su parte, de modo que constituye un buen ejercicio para ella.

Posteriormente he descubierto que ésta es una excelente manera de levantar a un niño pequeño.

16 de marzo de 1991:

La silla del coche resulta ya demasiado pequeña para Karina, pero nuestra hija todavía no es lo suficientemente fuerte como para sentarse sin más apoyos en un asiento del coche de niño. Trata-

mos de solucionar este problema colocando a ambos lados de su cabeza una toalla que hace de almohadilla.

Puesto que no puede sentarse erguida en un carro de supermercado, llevo conmigo el colchón de un cochecito de niño y extiendo a Karina en él, con la cabeza apoyada, en la parte delantera del carro.

(En la actualidad, las limitaciones impuestas por motivo de seguridad de los niños se adaptan mejor a las necesidades de los niños con escasos tono muscular y control de cabeza. Cuando nació Karina, la situación era bastante diferente.)

4 de abril de 1991:

Estamos probando con la reflexología. Resulta agradable tanto para Karina como para mí. A ella parece dejarla más despierta un par de días o algo así después de cada sesión. El mayor grado de resistencia lo muestra cuando se trabaja sobre su pie izquierdo.

5 de abril de 1991:

Karina puede pasarse juguetes de una mano a otra, en ambas direcciones. ¡Todo termina en su boca!

7 de abril de 1991:

Karina es perspicaz para interactuar con otras personas. Observa las caras y le gusta tocarlas. Goza especialmente cuando se ve rodeada de otros niños.

16 de abril de 1991:

Es capaz de sostenerse a sí misma con un brazo cuando está tumbada de vientre, aunque termina cayendo hacia la izquierda. Está muy interesada en las manos, los sonidos y las caras. Le encantan los abrazos.

19 de abril de 1991:

Karina ha cumplido 8 meses y medio y ahora ya es capaz de levantar la cabeza durante breves momentos y de mirar alrededor con normalidad cuando está tumbada de vientre. ¡Estamos emocionados! Hemos telefoneado a todo el mundo para contárselo. El personal del centro de atención de día está muy contento.

Además, alarga la mano derecha hacia los juguetes e intenta andar a gatas. De vez en cuando se da media vuelta, involuntariamente, y de estar tumbada de vientre pasa a la posición de espaldas cuando alarga la mano hacia un objeto y da una vuelta de campana.

Apoyada por delante en sus manos, o con las manos descansando sobre sus rodillas, Karina puede permanecer sentada durante unos instantes antes de dejarse caer pesadamente. Este tipo de ejercicios sólo los practicamos sobre la alfombra.

Una pelota de color naranja, de 50 cm de diámetro, se ha convertido en nuestro juguete favorito para los ejercicios. Tumbamos a Karina sobre ella, de vientre, y hacemos que la pelota se desplace rodando hacia adelante o hacia atrás hasta que Karina toca el suelo con las manos o los pies, y a continuación la animamos a que de acuerdo con esto asuma su peso. Esto la estimula también a que levante los ojos y mire hacia arriba.

También desplazamos la pelota de un lado a otro para animar a Karina a mantener alta y centrada la cabeza.

Hechos sobre sus espaldas, los mismos juegos estimulan a Karina a meter para dentro su barbilla.

No sostemos su peso (lo hace la pelota) y, de esa manera, ella puede experimentar el efecto de lo que hace. Le encanta.

7 de mayo de 1991:

Karina muestra mucho interés por la propia imagen en el espejo en el centro de atención de día. Resiste sentada mucho tiempo, erguida, cada vez mejor.

13 de mayo de 1991:

Pasa mucho tiempo observando, y a menudo da patadas cuando está asustada.

21 de mayo de 1991:

Karina está más despierta. Ahora puede cerrar de golpe sus manos, seguir con la cabeza y los ojos un objeto en su caída, y su espalda se ha hecho mucho más fuerte. Cuando está tumbada de vientre, puede arrastrarse a lo largo de un ángulo de 180 grados. Está empezando a jugar, a imitar, y parece más ansiosa de «vivir». Pensamos que está empezando a buscar los juguetes que nosotros escondemos momentáneamente tras una hoja de papel en algunos juegos.

24 de mayo de 1991:

Ahora estamos probando una almohadilla de cacahuete para apoyar su cabeza en el asiento del coche. Este sistema va mucho mejor que la toalla.

Ahora, con 9 meses y medio de edad, Karina lo hace todo mejor. Cuando la ponemos en posición de gateo, se mantiene durante breves momentos antes de dejarse caer pesadamente.

Tratamos de animarla para que intente agarrar pequeños objetos, primero con toda la mano, luego entre su dedo pulgar y la parte lateral del dedo índice. Después intentamos que suelte esos mismos objetos.

Algunos de los juegos más importantes de «toma de conciencia» que utilizamos son los siguientes: esconder momentáneamente objetos con un trapo o una hoja de papel, encontrar juguetes medio escondidos y golpear ruidosamente con las manos o con otros objetos sobre una superficie. También utilizamos juguetes con discos y agujeros en los que se puede hurgar y marcar números, y plastelina.

La pelota de gran tamaño antes mencionada sigue siendo uno de los principales juguetes que utilizamos en nuestros ejercicios. Ahora tratamos además de que Karina alargue y levante una mano cuando está sentada apoyada por delante en sus brazos. Para poner a prueba su equilibrio la desplazamos un poco en todas las direcciones cuando está sentada con las manos en las rodillas.

27 de mayo de 1991:

Karina está a punto de poder hacer con su cabeza y su cuerpo un giro de 180 grados para mirar a las personas mientras hablan. Ahora se la ve más feliz que antes cuando descansa tumbada sobre su vientre.

28 de mayo de 1991:

Karina deja huellas de su recorrido gracias a parte de una barra de fruta. Aunque la mayor parte del tiempo consigue meterla en la boca, su cara también ha recibido parte de ella.

30 de mayo de 1991:

Le ha empezado a salir el primer diente: un incisivo delantero, mandíbula inferior, a la derecha.

3 de junio de 1991:

Karina es capaz de apretar los labios uno contra otro y de relamérselos, de poner los dedos en la boca y de reproducir los sonidos «ba ba» y *«ma ma»; también le gusta dejar caer de golpe juguetes sobre la mesa.*

21 de junio de 1991:

Ahora, con 10 meses y medio de edad, Karina no parece oír bien. Me gustaría que le hicieran una prueba de los oídos, pero

¿puede realizarse de modo fiable esta prueba cuando ella no siempre vuelve la cabeza hacia sonidos que le interesan?

Karina todavía no es capaz de mantener erguida la cabeza durante mucho tiempo, aunque lo intenta, y todavía necesita que alguien la ayude a volverse de la posición de decúbito prono a la de espaldas. Ella misma ya se ha girado de la posición frontal a la de espaldas sin ayuda de nadie tres veces a lo largo de las últimas tres semanas.

Sin embargo, trata de alargar la mano hacia los juguetes cuando está tumbada de vientre, manipula más los juguetes y da patadas con facilidad, especialmente con la pierna derecha. También se sienta mejor y ha empezado a poner algo de su parte cuando se la levanta y a organizar sus piernas cuando yo la ayudo desde detrás de ella para que se siente.

Seguimos estimulándola para que intente alcanzar juguetes cuando se apoya en los codos, mientras está tumbada de vientre, con el fin de que aprenda a girarse hacia la posición de espaldas.

También cuando está sentada la animamos a que haga esto mismo, con el fin de que aprenda a desplazar su peso y a girarse.

Para conseguir que aguante su peso con los brazos extendidos, la sostengo sobre mi pantorrilla mientras ella se apoya en las manos y las rodillas, y posteriormente le levanto las piernas en el aire.

Un armatoste vuelto hacia arriba con un juguete encima mantiene a Karina ocupada y contribuye de alguna manera a que ella aprenda a mantenerse durante más tiempo con su trasero oculto en él y con los pies extendidos en el suelo.

En este momento las comparaciones con otros niños han dejado ya de crearme excesivas congojas. Las diferencias son evidentes. Personalmente ya he aceptado el hecho de que el desarrollo de Karina va a ser lento y estoy aprendiendo a fijarme más en lo que ella puede hacer que en lo que no puede hacer.

19 de julio de 1991:

Todo el mundo está muy contento con sus progresos. Aunque no se han producido grandes avances aislados, su movimiento ha me-

jorado notablemente durante el pasado mes y se muestra mucho más despierta y sensible.

Obviamente, Karina expresa a menudo el deseo de incorporarse y es capaz de sentarse, pero todavía se cae a veces. Aunque es ella la que inicia el movimiento que la «impulsa a sentarse», carece de la fuerza necesaria para ir mucho más allá.

En cualquier caso, sigue mostrando su desagrado a adoptar la postura del gateo y tiende a evitarla con el movimiento de las piernas. También le disgusta estar tumbada sobre su vientre y no muestra interés por ponerse de pie.

Estamos probando con los ejercicios basados en el método Feldenkrais y con la reflexología en un intento de intensificar su desarrollo. Después de realizar las sesiones Karina parece más despierta y a mí también parecen ayudarme. Me siento más relajada y positiva después de cada sesión.

En el programa de ejercicios hemos introducido la postura de sentarse de lado, es decir, de costado, para lo cual estimulamos a Karina a que se apoye en un brazo (mientras descansa sobre su culito), utilizando el otro brazo para jugar. El siguiente estadio será conseguir que Karina se sostenga sobre sus rodillas, preparada para gatear, y que posteriormente se ponga de pie.

La postura de sentarse de costado resulta la más beneficiosa en este estadio porque si a Karina se le permite sentarse simplemente de culo, este hábito podría desembocar en una actitud perezosa de moverse arrastrando los pies, lo que retrasaría más el desarrollo del gateo, de la postura de pie y, eventualmente, del caminar independiente.

2 de agosto de 1991:

¡Primer cumpleaños de Karina! Es un buen motivo para una celebración. La familia, los amigos, sus padrinos Malcolm y Sandra, juntamente con Andrea y Paul, se unieron a nosotros para celebrar esta fecha tan señalada. Karina probó la nata y despachurró la tarta de cumpleaños.

5 de agosto de 1991:

En el centro de atención de día, Karina celebró su cumpleaños con otros niños. Sujetándola con una correa, el personal del centro la sentó confortablemente en una silla, de forma que pudo estar a la mesa con ellos. También está haciendo ejercicios de salto que contribuyen al desarrollo de los músculos de sus piernas.

15 de agosto de 1991:

Karina disfruta realmente cuando está sentada, aunque todavía necesita que la ayuden a adoptar esa postura. En este momento, mientras está sentada, es capaz de girar completamente sobre sí misma para apoderarse de juguetes, sin que pierda el equilibrio. Con apoyo de otros, también puede ponerse de pie.

Continuamos con los ejercicios de sentarse, sentarse de costado, ponerse de rodillas y apoyarse con ambos brazos, es decir, a cuatro patas, y de mantenerse de pie.

Karina sigue despertándose dos o tres veces por la noche. ¿Tiene hambre o se trata simplemente de un hábito adquirido?

El coste, el tiempo y la distancia nos han obligado a dar por finalizados los ejercicios inspirados en el método Feldenkrais y en la reflexología. Me he dado cuenta de que no lo puedo hacer todo, a pesar de lo cual me siento culpable por ello.

2 de septiembre de 1991:

Karina está empezando a volverse hacia mí cuando pronuncio su nombre. Esto me tiene totalmente atareada.

Ahora precisamente comprendo la importancia que su habilidad en la imitación de sonidos y acciones puede tener para el desarrollo del lenguaje.

Karina ha desarrollado algunas habilidades previas al lenguaje. Por ejemplo, parece disfrutar jugando con ciertos sonidos y es capaz de producir diversos ruidos y combinaciones de consonante y vocal, tales como «ma ma», «ba ba». Como parte de su preparación, hemos empezado a introducir otros sonidos en juegos repetitivos.

Ocasionalmente acepta también tomar parte en juegos de acción, tales como batir palmas y participar por turno, aunque todavía no estoy segura de que sus iniciativas estén inspiradas en el deseo de imitar. Está empezando a tomar conciencia de que un objeto desaparece cuando nosotros lo quitamos de donde estaba, pero todavía no ha iniciado la búsqueda del mismo.

En su Informe Evaluativo del Desarrollo, Disability Services estima que las habilidades de Karina están en el nivel 2a y 2b. Este método de estimación refuerza de manera increíble mi confianza. Me viene a decir que Karina está en el buen camino para alcanzar algunas de las metas evolutivas que esperamos alcancen los niños, aunque ella necesite más tiempo para conseguirlo. Esto, a su vez, me permite confiar en los terapeutas de Disability Services y me da fuerzas para llevar a la práctica las actividades que ellos proponen porque saben en qué momento exacto de su desarrollo se encuentra mi hija y las actividades que van a beneficiarla en mayor grado.

12 de septiembre de 1991:

13 meses. Nos encontramos de nuevo en casa después de haber pasado diez días en el hospital infantil Princess Margaret. Karina ha tenido broncopulmonía. Ahora progresa a pasos agigantados y parece mucho más despierta. A mí me está costando algo más adaptarme. Después de haber pasado diez días con ella en el hospital, una encuentra extraño estar de nuevo en el mundo «real». El simple hecho de entrar en la tienda a comprar leche parece raro, casi amenazador.

Actualmente Karina es capaz de levantarse apoyándose en los brazos extendidos cuando está tumbada de vientre, pero prefiere aflojar los brazos y apoyarse en los codos antes de alargar la mano para alcanzar un juguete.

Realmente disfruta estando de pie, y resiste así cinco segundos aproximadamente frente a la gran pelota de jugar antes de que sus piernas cedan.

Cuando está sentada, sigue sin gustarle cualquier movimiento que le haga perder el equilibrio y pueda hacerle caer. Parece estar tomando conciencia de cuál es su centro de gravedad, pero todavía no es capaz de adaptarse a él.

23 de septiembre de 1991:

Karina disfruta de lo lindo con las visitas de Disability Services. Le gusta que le presten atención.

También le gusta agitar los sonajeros, lo que nos indica que puede oír, aunque no sabemos en qué medida exacta. Su capacidad auditiva es difícil de someter a prueba. Nosotros no sabemos qué es lo que ella puede o no puede oír y ella no puede decírnoslo.

Ahora dedicamos mucho tiempo a los juegos repetitivos. Uno de los favoritos es «Pedrito Conejo tiene una mosca sobre su nariz» (con acciones). Karina necesita ser estimulada y, al parecer, le gustan el sonido, las acciones y la expectativa de una posible caricia.

14 de octubre de 1991:

Nos hemos trasladado del piso que habíamos alquilado en *Joondanna a nuestra propia casa en las colinas, en Darlington, en el terreno que compramos cuando estábamos esperando a Danika. Estamos contentos de vivir en nuestra propia casa en un barrio tranquilo. Es un buen lugar para los niños y nos ha acercado más a mi madre, que nos ayuda. Vamos a contar con un nuevo equipo de proveedores del servicio de apoyo.*

30 de octubre de 1991:

He dejado de tomar notas recordatorias de las sesiones con los trabajadores sociales, las cuales me ayudadan a lo largo de cada semana, porque me resulta más fácil recordar lo tratado en cada se-

sión. La terminología que en otro tiempo me parecía tan extraña me resulta ahora familiar.

1 de noviembre de 1991:

Hemos empezado a utilizar el «llanto controlado» en un intento de que Karina duerma durante toda la noche. Hasta ahora, se ha venido despertando varias veces cada noche, aunque estoy segura de que se trata de un mal hábito. Ella sólo desea restregar su nariz contra mi pecho, no mamar. Estamos agotados.

7 de noviembre de 1991:

Hemos esperado a que yo esté de baja de mi trabajo de media jornada para probar seriamente el método del «llanto controlado». La primera noche cargué yo con todo el trabajo y prácticamente no me acosté. A la mañana siguiente, me habría dado por vencida. Este esfuerzo habría sido imposible si yo continuase trabajando. Rodney se ha mostrado de acuerdo en cargar con parte del «turno de noche», pero ambos somos conscientes de que él tiene que ir a trabajar el día siguiente. Ayer por la noche acostamos a Karina a las 7.30 de la tarde. A las 9 estaba de nuevo despierta. En lugar de cogerla en brazos, fui y me senté al lado de su cunita, acariciándola y hablándole tranquilamente hasta que dejó de llorar. Esto me llevó unos diez minutos. Karina seguía despierta cuando yo me marché de su lado y empezó a llorar al cabo de cinco minutos. Volví junto a ella y la acaricié y le hablé de nuevo durante otros diez minutos. Me resultó muy duro no tomarla en brazos.

Así continuaron las cosas hasta aproximadamente las 11 de la noche, momento en que Karina se durmió, después de darle de comer, probablemente de puro cansancio. No parecía tener mucha hambre, lo que confirma mi sospecha de que se despierta más por hábito adquirido que por hambre. Después, Rodney me sustituyó. Karina se despertó de nuevo a las 2 de la mañana y, mejor o peor, continuó así toda la noche, hasta el amanecer. A las 6 de la mañana le di de nuevo de comer.

Nosotros estamos más cansados aún, pero sabemos que la perseverancia es la clave del éxito.

8 de noviembre de 1991:

Karina tiene ahora 15 meses y es capaz de batir palmas por imitación. Girarse, hacia la izquierda y la derecha, es su forma exclusiva de movilidad.

Jugando tumbada de vientre, puede apoyarse en sus antebrazos, levantarse sobre sus brazos totalmente extendidos y alargar sus brazos plenamente en sentido frontal para alcanzar juguetes. Todavía no se desplaza hacia adelante sobre su vientre, aunque tiende a retroceder un poco.

Nosotros continuamos realizando los ejercicios que nos han sugerido para estimularla a que se arrastre por el suelo y gatee, para lo cual la ponemos sobre sus manos y sus rodillas tan a menudo como nos es posible.

Cuando está tumbada de espaldas, puede frotar un pie con el otro, jugar con ambos pies y ocasionalmente llevarse los pies a la boca.

Ahora, cuando está sentada, puede jugar durante bastante tiempo, con buena estabilidad, y colabora de forma muy activa cuando, estando en el suelo, alguien la sienta. Al cumplir aproximadamente 1 año, la iniciamos en los placeres de jugar estando sentada, para lo cual protegimos su espalda y costados con almohadillas. Esto le dejaba libres los brazos y las piernas y no suponía para ella un cansancio excesivo, por lo que pudo aprender a alargar la mano y se hizo más fuerte.

Ahora es capaz de doblar bien su tronco hacia adelante, de estirar sus brazos para recoger del suelo juguetes situados frente a ella y de girar bien su tronco hacia la izquierda y la derecha.

Aunque sus reacciones de equilibrio parecen estar desarrollándose, mostró cierta aprehensión jugando al «Barco de remos» cuando su centro de gravedad se desplazó algo hacia atrás.

En este momento, Karina se encuentra a medio camino de alcanzar la postura del gateo partiendo de la posición sentada y, cuando alguien la coloca en esa posición, es capaz de mantenerla durante algunos instantes.

15 de noviembre de 1991:

Muy poco a poco, hemos tratado de irla preparando para que pueda saborear los alimentos sólidos. Para empezar, le pusimos un poco de puré de patatas en su lengua con un dedo, después metió la lengua y cerró la boca. En cualquier caso, hemos empezado a hacer esto de forma regular, para ayudarla a superar la costumbre que tiene de estar sentada con la boca abierta y la lengua fuera.

Cuando a Karina le damos de comer con cuchara, ponemos un poco de alimento triturado en la parte posterior de su lengua, para estimularla a que trague el alimento. A ella le resulta difícil trasladar el alimento desde la parte delantera de la boca a la parte trasera. Yo, además, paso suavemente la mano por su garganta, para ayudarla a tragar. Habitualmente, darle de comer lleva tiempo.

25 de noviembre de 1991:

Karina tiene 15 meses y 3 semanas y ha cogido otro resfriado. Le estamos dando antibióticos y antihistamínicos. Estoy segura de que los continuos resfriados han reducido su capacidad auditiva.

Debido a su presbicia, el médico le ha prescrito el uso de gafas, pero es imposible conseguir que las conserve puestas. Sólo se las ponemos muy de cuando en cuando por algún motivo especial. Me gustaría disponer de más tiempo para insistir.

Karina entiende claramente las palabras «comida», «Danika» y «papá» cuando ellos están presentes. Ahora, además, es capaz de buscar un juguete u otro objeto cuando deja de verlos. Esto demuestra que comprende que las cosas existen aunque no las tenga al alcance de la vista.

También ha empezado a tratar de imitar algunos movimientos motrices amplios, como hacer señas, y algunos movimientos que implican una coordinacióon más fina de la mano, como abrir una cajita.

Hoy ha estado atenta a todo lo que dijo e hizo la trabajadora social y ocasionalmente trató incluso de imitarla.

También demostró poseer cierta idea de la relación causa-efecto, sirviéndose para ello de un juguete musical provisto de una cuerda. Karina intentó convencer a la trabajadora social para que la ayudase a tirar de la cuerda, tratando de ponela en manos de la entrenadora.

Karina ha sido descrita hoy como «una niña deliciosamente sociable», aunque es cierto que ella no suele iniciar por su cuenta el contacto social, sino que espera a que lo hagan los demás. Disfruta explorando nuevos juguetes y nuevos juegos de interacción social, como hacer que un objeto desaparezca tras un trozo de papel o de tela y el juego llamado «Alrededor del jardín», y ha empezado a reírse antes de recibir una caricia.

Aunque en general su respuesta no es constante cuando alguien la llama por su nombre, se muestra mucho más sensible cuando la llama una voz familiar.

Karina sabe también para qué sirven una taza y una cuchara y comprende el sentido de expresiones como «¡Ven aquí!» y «¡Dale un beso al bebé!», siempre que vayan acompañadas del gesto adecuado.

Los gestos, las vocalizaciones y el llanto son sus medios de comunicación. Utiliza diversos sonidos: «m», «d», «w», «u» y «a», combinados en forma de parloteo (por ejemplo, dice «mumu»), y puede producir un sonido gutural.

En este momento Karina está consolidando las habilidades lingüísticas correspondientes a un niño de entre 9 y 12 meses.

23 de diciembre de 1991:

¡El llanto controlado funciona! Ha costado lo suyo, pero lo hemos conseguido. Una noche entera durmiendo es una felicidad.

Conseguirlo nos llevó dos sesiones de quince días cada una, interrumpidas por un descanso de diez días. La interrupción nos permitió recuperarnos lo suficiente como para realizar el segundo intento.

1 de febrero de 1992:

Hemos apuntado a Karina para que pase tres días completos sola y una mañana conmigo en la guardería infantil, de orientación Montessori, «Treetops» [«Cimas de árbol»], de Darlington. A ella le gusta y el personal de la guardería está encantado de tenerla. Cuando, a finales del año pasado, intentamos apuntarla por primera vez a esta guardería, sentí que Karina saldría beneficiada del entorno de aprendizaje del centro. Su orientación es predominantemente infantil y refuerza significativamente el trabajo que nosotros estamos realizando para ayudar a Karina en su desarrollo.

En este momento estoy destetándola, razón por la cual sólo le doy de mamar entre quince y veinte minutos cada día. Tiene un biberón para líquidos y le gustan muchos y variados alimentos que se pueden comer sin biberón.

También hemos empezado a poner a Karina en el orinal periódicamente y hemos tenido cierto éxito, especialmente con las deposiciones. Aunque parece un tanto prematuro iniciarla ya en el entrenamiento con el orinal, como sucede con la mayor parte de las cosas, necesitamos que Karina comience más temprano de lo que nosotros mismos desearíamos si nuestra hija no arrastrase consigo cierto retraso en su desarrollo.

6

¡Escuchadme!

Por lo que vamos a decir, podría parecer que los ejercicios destinados a estimular el desarrollo de la motricidad tanto gruesa como fina de Karina han sido ya eliminados por etapas con el fin de concentrarse de forma exclusiva en sus habilidades de comunicación. Nada más lejos de la verdad.

El trabajo relacionado con el desarrollo motriz ha sido predominante durante los dos primeros años de vida de Karina porque era importante que nuestra hija se pusiese de pie y se moviese para explorar su mundo. Aunque esa importancia empezó a desplazarse gradualmente, todavía pasamos mucho tiempo enseñándole a irse levantando hasta ponerse de pie sobre un mueble, a gatear eficazmente, a evitar desplazarse «arrastrando el culo» y a «caminar» con sus pies sobre los nuestros. También llevamos a cabo interminables juegos basados en la «motricidad fina», como hacer volar figuras, destornillar tapas y recoger uvas pasas de Esmirna.

Estos ejercicios continuarían ocupando buena parte de nuestro tiempo, pero se integraron hasta tal punto en nuestra vida cotidiana que dejaron de parecer dignos de ser mencionados en nuestras anotaciones.

14 de febrero de 1992:

Karina tiene 18 meses de edad. La mayor parte de su tiempo lo pasa sentada y es capaz de alargar la mano y jugar con juguetes como su sonajero. Puede recorrer gateando distancias cortas y espero que sea capaz de andar de pie cuando celebremos su segundo aniversario.

Ahora que empieza a socializarse, Karina está preparada para su próximo estadio de desarrollo: la comunicación. Es nuestro gran proyecto que, por una parte, se asienta en el desarrollo de la motricidad gruesa y fina y, por otra parte, representa el siguiente paso lógico en su caminar hacia el lenguaje. El personal de Disability Services está esforzándose de lo lindo por desarrollar un programa de lenguaje para Karina.

Los niños con síndrome de Down tienden a ser acomodaticios: felices de «dejarse arrastrar por la corriente». Por eso mismo, a menudo se opta por la solución más fácil de que sean otros los que hablen por ellos, de modo que ellos mismos no aprenden nunca a responsabilizarse de las comunicaciones de sus propias necesidades y deseos. Esto les cierra la posibilidad de desarrollar su lenguaje, lo que a su vez tiene como consecuencia negativa el hecho de que no puedan mostrarse más sociables ni obtengan una mayor aceptación en la comunidad más amplia de la que forman parte. Permitirle a un niño con discapacidad «tirar para adelante con» su peculiar manera de hablar, por ejemplo, gruñendo, no es necesariamente lo mejor para él o ella.

Justamente, Karina está entrando ahora en el estadio evolutivo adecuado para que se beneficie al máximo de un programa orientado al desarrollo de sus habilidades comunicativas. Si esto lo dejamos para más tarde, tal vez Karina no supere nunca su retraso.

4 de marzo de 1992:

Karina ha cumplido 19 meses. Nos estamos esforzando mucho para que nuestra hija aprenda los nombres de personas familiares y de objetos comunes que ve, utiliza y toca. Esto es importante porque los niños comprenden ciertas palabras antes de que puedan decirlas ellos mismos.

Jugar tiene ahora para nosotros más importancia de lo que nunca hubiera imaginado. Nos vemos obligados a repetir algunas cosas muy a menudo y, a pesar de todo, necesitamos hacer que el aprendizaje sea divertido, de lo contrario el tedio se apoderará de todos y las tareas se convertirán en un fardo pesado.

Uno de nuestros métodos favoritos de enseñanza consiste en fingir que utilizamos un juego de té. Estamos tratando de incitar a Karina a comprender los nombres de objetos comunes, como una taza y un platillo, y a imitar nuestras acciones.

Los juguetes con dibujos de relieve y mecanismos de cuerda ofrecen muchas posibilidades para explicar las relaciones de causa y efecto. La importancia de esta idea radica en el hecho de ser uno de los conceptos subyacentes a toda comunicación en el sentido siguiente: decimos algo y en nuestro oyente se produce un efecto o resultado.

También la estamos animando a que participe e inicie más juegos de interacción social, por ejemplo, haciendo rodar una pelota o juguete en dirección a otra persona. Karina tiene que aprender a tomar iniciativas de este tipo, sin esperar a que sea siempre el mundo el que venga hacia ella.

Igualmente estamos introduciendo en nuestros juegos el lenguaje de signos llamado «Makaton». Se trata de un conjunto se señales sencillas realizadas con la mano y que sirven para designar objetos y actividades comunes, como «más», «arriba», «beber» y «comer».

Debido a que Karina observa ahora con mucho interés los movimientos de otras personas, necesitamos acrecentar su toma de conciencia del valor de ciertos gestos y signos que utilizamos en nuestra vida cotidiana. De esta manera, puede intentar usarlos ella misma para organizar el abanico de significados que de hecho ya utiliza.

Aunque en este momento Karina ya es capaz de recorrer de pie distancias cortas si alguien le ayuda sujetándole de las manos, su control y coordinación de los miembros inferiores son pobres y la longitud de su zancada es desigual. Con la pierna derecha da zan-

cadas bastante largas, mientras que la pierna izquierda se limita a seguir a la derecha.

Es capaz de levantarse por su cuenta apoyándose en un mueble para permanecer de pie unos instantes antes de «desplomarse» de nuevo sobre el suelo.

Se ríe con facilidad, establece contactos visuales, bate palmas, da la bienvenida a otras personas y les dice adiós con la mano.

Karina se ha acomodado perfectamente en el grupo de juego y actualmente resiste sentada más tiempo mientras le cuentan un cuento.

Prácticamente ya está destetada y duerme desde las 7.30 de la tarde hasta las 6 de la mañana.

26 de marzo de 1992:

Físicamente, Karina se muestra mucho más activa que hace algunos meses y ahora juega de pie, aunque necesita algún tipo de apoyo externo.

De todos modos, personalmente estoy viviendo de nuevo momentos de intenso compromiso con el aprendizaje de mi hija, al tratar de ayudarla para que asimile los signos del lenguaje Makaton. Esta tarea puede resultar frustrante. Una pregunta tan sencilla como «¿Quieres beber algo, Karina?» implica que, en primer lugar, tengo que atraer su atención, habitualmente acercándome hasta estar casi encima de ella y haciéndole la señal correspondiente a bebida. Al mismo tiempo que hago la señal, tengo que repetir las palabras: «¿Quieres beber algo?».

Estos estadios iniciales son frustrantes y agotadores porque Karina no responde de forma consecuente. A lo máximo a lo que podemos aspirar al principio es a obtener algún tipo de sonido como respuesta. Realmente no importa mucho el sonido concreto que se obtenga: simplemente deseamos que se reconozcan nuestras preguntas, sobrentendiéndose que posteriormente se producirá una imitación más cuidadosa de nuestros sonidos. Esto lleva varios meses.

Seguimos sin pasar por alto la costumbre de Karina de tener abierta la boca mientras permanece sentada y, en este sentido, la estimulamos para que normalmente la mantenga cerrada. Es una tarea que exige tiempo, pero poco a poco parece que está dando buenos resultados.

Tose ligeramente y durante varios meses su nariz ha moqueado de forma persistente. Está en la lista de espera semiurgente para que le pongan aparatos en los oídos, que esperamos aumenten su capacidad auditiva.

2 de agosto 1992:

Celebramos el segundo cumpleaños de Karina con una fiesta familiar. Ella estuvo sentada en su silla elevada, organizando un simpático desaguisado con su tarta de cumpleaños y disfrutando mucho de la atención que todos le prestaban.

Todavía no es capaz de caminar sin ayuda, pero puede hacerlo agarrada a nuestras manos. Hemos estado practicando esto con ella desde hace ya varios meses.

15 de octubre de 1992:

Ha cumplido 2 años y 2 meses. Karina participa en una sesión de cuarenta y cinco minutos con el entrenador social, pasando de una actividad a otra cada dos o tres minutos.

12 de diciembre de 1992:

En este momento Karina es capaz de recorrer una distancia corta sin ayuda de otros. De todos modos, lo encuentra duro y extenuante. Sus primeros pasos sin nuestro apoyo los dio hace apro-

ximadamente tres meses, con 25 meses de edad. Ahora me sorprende el hecho de que yo no dejase constancia en su momento de este logro realmente importante. Tal vez se debió a que estos primeros pasos independientes llegaron tan tarde. En la mayoría de los niños es sólo cuestión de días entre ese o esos primeros pasos vacilantes y la preferencia por la movilidad erguida. Con Karina, esto requirió mucho más tiempo. Habíamos estado esperando tanto ese momento que, cuando finalmente se produjo, nuestra sorpresa se había desvanecido.

Incluso cuando tenga 6 años, a Karina le resultará difícil recorrer a pie largas distancias. Sus compañeros de clase darán entonces cinco vueltas al patio de la escuela y ella, en cambio, apenas conseguirá dar tres.

Pero ella consigue, *de hecho,* dar tres vueltas.

Enero de 1993:

Rodney y yo participamos recientemente en un taller de comunicación de medio día de duración. En él se subrayó el insustituible papel que tienen los padres y la familia a la hora de ayudar a un niño a acceder al habla.

Nosotros siempre hemos creído que Karina aprendería a hablar. Nuestra hija —al menos así nos ha parecido a nosotros— siempre ha producido una variedad de sonidos y ha respondido de manera apropiada cuando se le hablaba. Ahora, sin embargo, comprendemos que el camino que tendrá que recorrer para desarrollar el habla va a ser mucho más lento de lo que nosotros pensamos en un principio.

Si ella posee la capacidad para aprender a hablar, nosotros tenemos que contar con ella. Es la clave para que nuestra hija sea aceptada socialmente. Hablando, será capaz de interactuar con otras personas en el terreno de juego. Sin hablar, Karina permanecerá aislada.

Marzo de 1993:

Las cartas Nuffield forman parte también de nuestro programa para el desarrollo del habla. Se trata de unas cartas con figuras que están pensadas para enseñar los sonidos que necesitamos conocer para poder formar palabras. La carta del tren, por ejemplo, sirve para enseñar el sonido «ch ch ch»; un pez con la boca abierta, el sonido «o»; una vela, el sonido «p» porque nos recuerda, en cierta manera, el gesto de soplar para apagar las velas.

Estoy de nuevo embarazada y me encanta. Un tercer hijo puede ayudarnos a apartar un poco la vista de Karina y a recuperar cierto equilibrio en nuestra familia.

7

Otro bebé

A lo largo de algo más de un año Rodney y yo hemos estado intentando tener otro hijo. Por eso, nos ha encantado descubrir que lo que yo achacaba a un virus misterioso es en realidad el anuncio temprano de un embarazo.

Estamos a comienzos de 1993. Terminé mi tesis doctoral el año pasado y trabajo a tiempo parcial en una universidad de Perth. Danika está haciendo preescolar y a mediados de año empezará el primer curso en la escuela Montessori de nuestra localidad, y Karina va tres mañanas de cada semana a la guardería infantil de esa misma escuela.

Discutimos las implicaciones de tener un tercer hijo y ambos sentimos que él puede completar y equilibrar nuestra familia. Siempre que le hemos manifestado a alguien nuestro ardiente deseo de tener otro hijo, la reacción general no ha sido nunca de sorpresa: «Muchas familias con un hijo discapacitado tienden a tener otro» parece ser la opinión general.

Rodney y yo estamos muy interesados en que Danika tenga otro hermano o hermana. Percibimos ya signos claros de la muchacha pensativa y responsable en que se está convirtiendo, y un tercer hijo representará para ella otro compañero de juego.

Además, de cara al futuro, esperamos que como adulta Danika no tenga que ser la única persona con responsabilidades familiares respecto a Karina, una vez que ella viva independiente, separada de nosotros. Un hermano podría ser tal vez la persona con quien Danika compartiera un día la toma de decisiones, las celebraciones, las visitas y las salidas familiares con Karina.

Otro hijo desviaría parte de la atención que ahora está concentrada en Karina. Los hijos medianos a menudo se sienten insuficientemente atendidos porque no son ni el primogénito ni el benjamín de la familia. Pensamos que, debido a la personalidad gregaria de Karina, el peligro de que sea ella el miembro de la familia que queda marginado es pequeño. Por otra parte, para un niño con discapacidad ocupar el lugar del medio puede entrañar ciertas ventajas, en el sentido de que juega con los hermanos mayor y menor y aprende de ambos.

Rodney y yo comprendemos que un nuevo hijo va a significar más trabajo. De todos modos, sólo más tarde sabremos por experiencia el cúmulo de trabajo que puede implicar justamente un nuevo hijo cuando en la casa ya hay una niña activa como Karina. Ésta empezó a mostrarse plenamente activa coincidiendo con el momento inicial de mi embarazo, pero la verdadera pesadilla para controlarla daría comienzo al año siguiente de haber nacido Joshua. Esos dos años fueron los peores... El nivel de actividad caótica de Karina nos pilló del todo desentrenados. Si se mira bien, no deja de ser hasta cierto punto irónico que nosotros hayamos dedicado tanto tiempo durante los dos primeros años de la vida de nuestra hija a estimularla para que se moviese con independencia y que, una vez alcanzado este objetivo, vivir con ella sea como vivir con un pequeño tornado humano.

Naturalmente, en este tercer embarazo hemos de tener en cuenta otros aspectos. Inmediatamente después del nacimiento de Karina, visitamos a un médico genetista y, cuando llegue el nuevo retoño, yo estaré a punto de cumplir 37 años. Soy consciente de que la probabilidad de tener otro hijo con síndrome de Down se ha acrecentado.

El hecho de tener un hijo discapacitado está permanentemente agazapado en nuestras mentes. Nosotros no insistimos en él, pero él está con nosotros. No tiene sentido pretender que no es algo importante.

Por otra parte, Danika es la prueba de que como pareja somos capaces de engendrar un hijo «normal». Tal vez si Karina fuese nuestra primogénita, nos habríamos mostrado menos confiados a la hora de intentar tener otro hijo. Pero ésta es una de esas cuestiones hipotéticas que es imposible responder.

Una vez confirmado el embarazo, pedimos consejo acerca de los tipos de pruebas que están a nuestro alcance. El trabajador social de Disability Services nos puso en contacto con los médicos y los psicólogos pertinentes.

Después de formarnos un juicio sobre cada una de las opciones, decidimos que me sometería a una amniocentesis al cumplirse los cuatro meses. Esta prueba consiste en que te toman una pequeña muestra del líquido amniótico y se hace un cultivo de las células para determinar la estructura genética del bebé. Nuestra decisión se basó principalmente en la necesidad que experimentábamos de seguridad. En una ecografía temprana nuestro nuevo hijo presentó todas las señales de ser un chico. Se mueve maravillosamente y no muestra la estructura ósea pesada y cuadrada de Karina. Sus rasgos parecen delicados, como si de un duendecillo se tratara.

Rodney y yo esperamos con relativa tranquilidad el resultado, pero, aunque el bebé parece muy activo y yo me encuentro bien, no puedo afirmar que haya disfrutado con la prueba de la amniocentesis. Es un procedimiento incómodo y a mí concretamente no me gustó la actitud impersonal y brusca de la persona que realizó la prueba. Posteriormente he hablado con otras mujeres que fueron tratadas con exquisito respeto y que apenas sintieron molestia alguna durante la realización de la prueba, por lo cual deduzco que ésta es otra de las áreas donde las experiencias individuales son muy diferentes. Mucho depende de nuestras propias expectativas y de la manera en que se nos trata.

Con anterioridad al embarazo, Rodney y yo habíamos decidido, más o menos, que si intentábamos tener otro hijo y las pruebas identificaban en él alguna discapacidad antes de nacer, seguiríamos adelante con el embarazo a pesar de todo. Rodney diría posteriormente que, para él, terminar con un embarazo en esas condiciones habría sido como decirle a Karina: «Tú no eres una niña perfecta y no deseamos otro hijo como tú».

En realidad, es imposible decir lo que haríamos si nos viésemos en semejante situación. En el fondo sabemos que realmente no podemos tomar ninguna decisión hasta que no tengamos los resultados... Mientras tanto, ¿por qué torturarnos a nosotros mismos preocupándonos por lo desconocido? En este momento ya tenemos bastantes cosas entre manos. Por otra parte, éste es de nuevo uno de esos temas tan personales en los que, tal como yo creo, es imposible decidir o juzgar las decisiones de otros hasta que uno mismo no se ha visto en idénticas circunstancias.

Esperar unos resultados nunca es fácil. Aunque es un tiempo angustioso para nosotros, realmente no tenemos tiempo de preocuparnos en exceso. El trabajo y el cuidado de la familia mantienen nuestras mentes ocupadas.

Tres semanas más tarde nos comunican los resultados: un juego equilibrado de cromosomas y definitivamente un chico. Estamos locos de contentos y aliviados: ¡no hemos de tomar ninguna decisión difícil! El teléfono se pone al rojo vivo a medida que comunicamos la noticia a familiares y amigos.

Ahora, después de todo, estoy muy contenta de haber realizado la amniocentesis. Conocer los resultados de la misma me permite seguir adelante y disfrutar del que con toda probabilidad va a ser mi último embarazo.

A pesar de que Karina en este momento camina ya desde hace varios meses, su movilidad es limitada y todavía resulta relativamente fácil controlarla. Para empezar, apenas se mete en problemas porque, de hecho, no tiene fuerza para ir lejos: su límite son los 10 m, recorridos los cuales se viene abajo y descansa. Las colinas quedan totalmente fuera de su alcance y, cuando se atreve a escalarlas, se inclina hacia adelante o hacia atrás, al parecer totalmente confundida por la manera en que el suelo ha decidido elevarse o descender.

Danika ya ha empezado a participar en las actividades de un grupo local de gimnasia para menores y desde mediados de 1992 yo misma he estado llevando también a Karina al grupo de chiquitines de ese centro. Karina disfruta con el contacto con otras personas, y los ejercicios sirven para fortalecer sus músculos del brazo y de la pierna, animándola a desarrolllar la coordinación que necesita para mejorar su movilidad. Esto encaja bien con lo que desea hacer Danika y a todos nos resulta divertido.

En el gimnasio, Karina aprende a balancearse hacia adelante y mejora su movilidad general. A veces sus progresos son más fácilmente constatables por parte de los entrenadores sociales y los fisioterapeutas, que, naturalmente, no la ven tan a menudo. A nosotros, el progreso de Karina nos parece siempre lento. Disponer de una fuente de retroalimentación positiva y fiable como ésta resulta alentador.

También creemos que la fuerza, la gracia y la elegancia que desarrollará más tarde Danika estuvieron preparadas por el tiempo que pasó en este gimnasio. Karina continúa en el grupo de chiquitines hasta mediados de 1993, cuando yo ya llevo embarazada de Joshua siete meses y apenas me las arreglo físicamente para ayudarla en los diversos aparatos. Es el momento de dejarlo.

También estamos haciendo cantidad de ejercicios de equilibrio en casa, animando a Karina a que sin perder el equilibrio camine sobre una viga colocada en el suelo para ayudarla a desarrollar su conciencia y control (del cuerpo en el espacio). El bordillo de la calle puede sustituir fácilmente a una viga para estos ejercicios de equilibrio y nosotros continuamos utilizándolo para estimularla a que enderece sus piernas cuando camina. Durante esta etapa, empezamos en nuestra familia a apreciar también realmente el valor de las instalaciones deportivas locales, construidas para estar al servicio del desarrollo seguro de la fuerza y la coordinación de los cuerpos jóvenes.

A veces me veo obligada a dejar de lado nuestra situación actual y comprobar qué les parece a los padres de niños que no sufren discapacidad nuestra insistencia en el juego dirigido. De vez en cuando, he de recordarme a mí misma precisamente que a los hijos debe permitírseles divertirse un poco a su aire: esto es algo que aprendí en casa a raíz de los comentarios emitidos por una chica con síndrome de Down, cuya madre estaba dirigiendo conscientemente el juego de la niña para ayudarla a desarrollar las habilidades que necesitaba.

«¡Mamá, por favor! ¡Me estoy divirtiendo! ¿No puedes dejarme simplemente jugar?»

Hacia el final de mi embarazo continuaba cargando con Karina más de lo que a mí misma me hubiese gustado, pero sólo porque ella se cansaba enseguida y, consiguientemente, no podía caminar mucho. La gente me decía: «¡No deberías cargar con esa niña!». Pero ¿qué otra cosa podía hacer yo? Estamos, sin duda, ante una de esas situaciones que les parecen tan fáciles de juzgar a personas que nunca las han experimentado.

Aunque no insista en ello, estoy cansada. Algunas noches no me atrevo a sentarme a descansar porque sé que, si lo hago, no me levantaré de nuevo. Afortunadamente, mis embarazos no han presentado nunca complicaciones y, por lo tanto, puedo mantenerme activa sin experimentar la sensación de que el bebé corre algún riesgo. A veces me describo a mí misma como «una buena yegua de cría».

Rodney y yo hemos discutido el tema del próximo alumbramiento y nos proponemos utilizar la maternidad relativamente nueva que funciona en el King Edward Memorial Hospital. Preferiríamos otro alumbramiento en el propio hogar, pero el precio está fuera de nuestro alcance y la maternidad en cuestión se nos presenta como un feliz compromiso. El parto se producirá en un entorno parecido al hogareño, con atención médica especializada en caso de que se necesite.

El último mes de embarazo de Joshua tuve cantidad de contracciones a las que no presté excesiva atención, por entender que no se trataba de contracciones precursoras del parto. Posteriormente me he preguntado si esos falsos anuncios de comienzo del parto no tenían la función de recordarme el dolor que me esperaba y de elevar mi nivel de adrenalina hasta un punto en que las contracciones cesan. Al parecer, esto no me tenía muy preocupada porque, cuando tuve las primeras señales serias de la llegada del bebé, me dirigí a la peluquera y le pedí que me hiciera la permanente. Teniendo en cuenta que mi dos partos anteriores fueron muy largos, yo estaba casi segura de que el nacimiento de Joshua se retrasaría todavía algunas horas. Observé, sin embargo, que la peluquera parecía un poco nerviosa.

Más tarde, Rodney y yo llamamos por teléfono y nos dirigimos en coche a la maternidad para un reconocimiento general, que confirmó el hecho de que Joshua estaba de camino pero todavía tardaría probablemente algunas horas en llegar. Así pues, con el visto bueno de las comadronas, dejamos la maleta en el centro médico y nos dirigimos en coche a uno de los hoteles adonde solíamos ir cuando no teníamos hijos y nos entretuvimos un rato jugando pausadamente en la piscina. Después salimos de tiendas y les compramos un vestido nuevo a nuestras hijas, disfrutando del placer de pasar algún tiempo juntos y a nuestro aire. Algunos de los vendedores de las tiendas mostraban cierta sorpresa cada vez que nos parábamos para que yo pudiese respirar en medio de una nueva serie de contracciones.

A última hora de la tarde volvimos a la maternidad y Joshua nació a primeras horas del miércoles día 23 de septiembre.

Los tres —Rodney, Joshua y yo— volvimos a casa aquella misma tarde, recogiendo por el camino a las chicas, que se habían quedado con mi madre. Rodney tuvo que volver al trabajo casi inmediatamente, así que al cabo de dos o tres días me vi de nuevo metida en la rutina del trabajo de la casa y llevando a las niñas a la escuela y la guardería y recogiéndolas de nuevo al final de cada jornada.

Contadas así las cosas, todo parece muy sencilllo. Yo simplemente tiré para adelante con todo, aunque posteriormente, al echar una mirada retrospectiva a mi vida, reconocería que los días y las semanas que siguieron al nacimiento de Joshua fueron uno de esos momentos en los que realmente debería haber pedido más ayuda externa. Podía haber contado con un mayor apoyo, pero me mantuve en la brecha porque no tenía otra opción.

Como Joshua calculó exactamente el momento de su llegada para que coincidiese con la interrupción del trabajo en la universidad, me queda una semana completa en casa antes de incorporarme, durante otras seis semanas, al trabajo a tiempo parcial hasta que termine el curso académico. Mi madre y una de las cuidadoras que trabaja en la escuela local cuidan al bebé durante el día las dos jornadas y media que trabajo fuera de casa.

El hecho de tener un trabajo representa para mí una cierta ruptura con respecto a Karina y a nuestro nuevo hijo, pero al mismo tiempo me deja pocas posibilidades de recuperarme físicamente del embarazo y el alumbramiento. Teniendo en cuenta que le doy el pecho a Joshua y que Karina sigue despertándose de vez en cuando, lo cierto es que voy subsistiendo con tres o cuatro horas de sueño cada noche. Esta situación se prolongará durante dieciocho meses. Reconozco que está lejos de ser la ideal, pero la acepto porque nuestro estado financiero actual hace necesario un segundo sueldo.

Estos dieciocho meses, con Joshua despertándose de noche y yo teniendo que trabajar a tiempo parcial durante el año académico y que cuidar de las otras hijas, serán el período más agotador de mi vida. Dar el pecho y mi escasa habilidad para preparar e ingerir las comidas adecuadas han contribuido a que mi peso baje de 60 a 54 kg. Irónicamente, una de esas raras noches en que Rodney y yo salimos a cenar juntos me veo en la imposibilidad de terminar el plato que tengo delante. Me he habituado de tal manera a comer a toda prisa un bocadillo donde puedo que mi estómago se siente lleno muy rápidamente. Como con exceso y sufro por ello.

A veces tengo la sensación de arrastrar literalmente mi cuerpo durante todo el día, alimentándolo como uno alimenta su coche, simplemente para mantenerlo en marcha. Las grageas con hierro y los suplementos vitamínicos ayudan. Debido al cansancio (sólo más tarde me daré cuenta justamente de la *medida exacta* de ese cansancio) me resulta difícil recordar cuidadosamente acontecimientos y metas alcanzadas a lo largo de ese período.

A pesar de lo dicho, en la familia todos somos muy felices. A Danika le gusta la escuela y, cuando a comienzos de 1994 empieza el segundo curso en St. Brigid's, cerca de Midland, se adapta perfectamente. La comunidad escolar es muy acogedora y ella disfruta de esta nueva etapa de su vida. Karina camina por su cuenta y empieza a hacer auténticos progresos en otras áreas, y tenemos un nuevo y hermoso bebé varón. El amor incondicional de nuestros hijos es para nosotros mucho más que una compensación por los duros tiempos que estamos viviendo.

Por esta época aproximadamente empezamos a tener contactos regulares con una trabajadora social que se mostró sensible no sólo a las necesidades de Karina sino también a las mías. Esa persona reconoció que podíamos contar con algún tipo de ayuda y lo organizó todo para que restableciésemos el contacto con algunos grupos de apoyo, incluidos Activ Foundation y los servicios de apoyo comunitario.

Con anterioridad, habíamos sido miembros de Activ Foundation, pero cuando los recursos financieros escasearon, nos dimos de baja de varias organizaciones. Y, aunque ya habíamos puesto a prueba el servicio de atención de apoyo, el problema no se solucionó. El cuidador y yo veíamos las cosas de diferente manera, pero ojalá hubiera tenido entonces la confianza suficiente para continuar con otro cuidador. En lugar de eso, me di de baja y fue mi madre la que se encargó de ayudarnos.

Ahora volvemos a Activ Foundation y hemos empezado a utilizar de nuevo el servicio de apoyo, esta vez con éxito. Los servicios de apoyo comunitario ayudan sufragando los gastos de una mujer de la limpieza cada quince días. Es como una bocanada de aire fresco volver a casa una vez cada quince días y encontrarla limpia, dado que yo he dejado prácticamente de lado todo lo que no sea trabajo básico del hogar.

Karina quiere mucho a su nuevo hermano, hasta el punto de no poder dejarlo solo con ella. A la menor oportunidad que se presenta, trata de cogerlo en brazos y llevarlo con ella.

El resultado de todo ello es que durante este primer año he llevado conmigo a Joshua siempre que los dos niños están despiertos. Me las he ingeniado para hacer la colada, lavar los platos y preparar las comidas con una sola mano. Si tengo que ir al baño, dejo a Joshua tendido en el suelo sobre una toalla y entretengo conmigo a Karina contándole un cuento.

A Joshua sólo puedo dejarlo seguro en el suelo cuando Karina duerme o cuando yo me siento y juego con los dos. Una vez más, algunas personas me dicen: «Estás haciendo algo contraproducente al cargar continuamente con el niño. No se va a despegar de ti». Pero, de nuevo, ¿qué otra cosa puedo hacer? Una de las personas que me criticaban admitirá más adelante que se había equivocado: aunque Joshua se muestra dependiente en un primer momento, más tarde se vuelve tan independiente como cualquier otro niño de 3 años de edad. Creo que el hecho de cargar con él es por su seguridad, no porque yo me sienta insegura.

Durante todo este período, ducharse por la noche significa, en primer lugar, preparar la ropa para los tres niños y para mí misma y colocarla en montones; después, poner a Danika y a Karina en la bañera bajo la ducha, desnudar a Joshua, lavarlo, envolverlo en una toalla y dejarlo tumbado al lado de nuestra ropa mientras yo me voy al baño con las chicas. Después, por turno, me seco y me visto rápidamente, seco y visto a Joshua y a Karina y ayudo a Danika a prepararse para ir a la cama.

Las idas a la escuela se convierten también en un ejercicio de levantamiento de pesos, puesto que me veo obligada a cargar con Joshua y Karina cada mañana y tarde cuando acompaño a Danika a su clase. A las tres y media de la tarde Karina está a punto de alcanzar la cima de su fase «caminar y caer desplomada», lo que significa que es más fácil cargar con ella (aunque no deja de ganar peso).

A mediados de año, Karina consigue alcanzar otra meta importante. Se aleja de mí y continúa su marcha, más allá de lo que yo preveía. Con Joshua bajo un brazo, tengo que echar a correr tras ella. Nuestro trabajo para conseguir que se moviera a su aire empieza a dar sus frutos.

En el verano de 1994, tanto Karina como Joshua se mueven sin parar. Tengo dos chiquitines y controlarlos resulta un poco más duro. Sé que tengo que poner en el suelo más tiempo a Joshua para permitirle aprender a jugar y hacer cosas por su cuenta.

He de estar particularmente atenta cuando ambos están despiertos al mismo tiempo. Trabajo aprovechando sus horas de sueño.

Karina está empezando a independizarse de mí y a afirmar con más decisión sus preferencias y antipatías. Acertar en la dirección del comportamiento de nuestros hijos es el gran desafío que hemos de afrontar: atenernos a nuestras propias reglas (las reglas de la casa) es nuestra prioridad siempre que se plantea una batalla de puntos de vista. De hecho, no esperamos demasiado de Karina, pero tratamos de mostrarnos firmes, manteniendo en vigor unas reglas sencillas, claras y coherentes. Como seres humanos que somos, fallamos a menudo. Seguir el ritmo que marca el torbellino de su personalidad cuando está en pleno vuelo es muy, pero que muy cansado.

Nos hemos habituado a poner en tela de juicio los puntos de vista de personas que al parecer se preguntan por qué no ponemos más empeño en mantener a raya a nuestra hija. Otros pasan por alto sus actos, por considerarlos «típicas chiquilladas». Estos últimos tienen razón, pero en el caso de la mayor parte de los niños su conducta típica de chiquillos alcanza su cima alrededor de los 2 o 3 años de edad, después madura gradualmente. Con Karina, todo irá mucho más despacio. Recoger rápidamente a un niño de 2 años que chillla en medio de un centro comercial es bastante duro, pero intentar controlar a un niño fuerte y activo de 4 o 5 años en la misma situación será sin duda mucho más duro.

Para los padres, uno de los aspectos más delicados de la dirección del comportamiento del hijo es cómo la perciben otras personas, particularmente cuando el hijo es discapacitado. Cuando trato de poner a Karina en un carrito de la compra, hay protestas. Naturalmente, no es que yo le esté haciendo daño, sino simplemente que ella se encuentra cómodamente en su cochecito y se resiste al cambio. Tan pronto como he conseguido que la niña meta su pie derecho por la abertura que tiene el carro de la compra en la parte delantera, ella pretende mantener fuera su pie izquierdo. Ella lucha, yo lucho y, cuando el carrito de la compra empieza a desplazarse, grita con toda la fuerza de su voz. Al cabo de cinco minutos ella estará felizmente instalada, pero mientras tanto sus gritos han llamado la atención de otras personas, y esto no gusta a nadie.

En situaciones como ésta, el hecho de que otro comprador se ofrezca para sujetar el carro de la compra mientras instalas en él a tu hija siempre es una enorme ayuda. Pequeños actos de este estilo hacen que las cosas se vivan de manera muy diferente.

Incluso cuando sea algo mayor, el comportamiento de Karina será a veces duro en relación con sus hermanos. Ella continuará aprendiendo a «jugar limpio» en casa, y en ocasiones esto provocará tensión, en especial a Danika. Aunque a nosotros nos gusta que nuestros hijos tengan la oportunidad de desarrollar cierto sentido de responsabilidad, también queremos que disfruten de su infancia y de su niñez, y a mí me entristece un poco pensar que Danika está asumiendo excesiva responsabilidad simplemente porque tiene una hermana que a menudo no sabe cuándo poner punto final.

Un ejemplo se da cuando Danika dedica veinte minutos a hacer un «caballo» de juguete a base de una mesa de picnic y de algunos otros enseres domésticos para que sus hermanos menores jueguen con ella. Karina adora a Danika y le encanta que la invite a participar en sus juegos. Sin embargo, con excesiva frecuencia, su excitación se desborda y da lugar a una especie de comportamiento salvaje que impide que el juego en cuestión acabe bien. Esta vez interrumpe constantemente a Danika en su trabajo de construcción del caballo, hasta que finalmente me veo obligada a apartarla para que su hermana pueda terminar el caballo. Más tarde, cuando los tres hermanos están celebrando su cabalgata,

Karina continúa balanceando la mesa hasta que, por precaución, se da por terminado el juego. Llegado ese momento, comprensiblemente, Danika está a punto de chilllar.

Antes de tener hijos había practicado la meditación y conocía la importancia que tenía controlar la respiración como una ayuda para estar relajado. En los primeros años abundaron las ocasiones en que estas técnicas de relación demostraron su utilidad. Cuando la diversión se malogra, silbo o canturreo. También he aprendido a aprovechar los raros momentos que tengo para mí misma. Por ejemplo, durante el tiempo que se necesita para recorrer los diez o doce pasos desde la puerta de pasajeros de la parte trasera (después de asegurar a Karina en su asiento del coche) hasta la puerta del conductor ralentizo conscientemente mi respiración. Este simple gesto «hace que el mundo marche más despacio». De otra manera, todos terminamos estando muy tensos. Es muy importante agarrar al vuelo cada uno de estos breves instantes de nuestra vida.

A lo largo de 1994 hicimos un enorme esfuerzo para que Karina se animase a aprender a utilizar el orinal. Durante el día, la llevábamos por casa sin pañales, para ayudarla a que ella misma estableciese la conexión. Esta iniciativa nuestra contó con el apoyo del personal de Occasional Care Centre [Centro de Atención Ocasional] de Midland, donde permanecen Karina y Joshua mientras yo estoy en el trabajo. El personal de este centro es realmente admirable y, entre otras cosas, refuerza el aprendizaje que Karina está haciendo de los sonidos y los signos del lenguaje Makaton.

Pretendemos que para 1995 Karina prescinda por fin de los pañales porque ese año debe iniciar la etapa preescolar.

8

Karina empieza a ir a la escuela

No tardamos mucho en comprender que, para poder educar a un hijo, antes ha de ser uno capaz de dirigir su comportamiento infantil. Las habilidades sociales también son muy importantes y el niño que corretea por la clase, pega a otros niños y se niega a sentarse y a escuchar ni puede hallarse personalmente a gusto en la escuela ni les facilita la tarea a los otros en la clase. Cuando un niño es discapacitado, la dirección de su comportamiento y el desarrollo de las habilidades sociales apropiadas puede constituir un verdadero desafío.

Nosotros deseamos siempre vivamente que Karina tuviese la oportunidad de recibir una educación adecuada en la comunidad más amplia. Por este motivo, desde que era muy pequeña empezamos a trabajar para alcanzar esta meta. Desde que apenas tenía unas semanas de edad, empezamos a prepararla para que se sintiese a gusto en situaciones en las que se vería obligada a relacionarse con otros niños.

Las visitas de los trabajadores sociales de Disability Services sirvieron, entre otras cosas, para que Karina empezase a habituarse a tales situaciones. A la larga, se esperaba de ella que aprendiese a estar sentada en silencio, a escuchar y a seguir instrucciones sencillas.

En numerosas ocasiones su comportamiento, particularmente en sesiones desarrolladas en un entorno alejado del hogar, puede calificarse sin duda de «caótico», pero no por eso renunciamos a nuestra idea. Como padres, sentimos cierta turbación, que muy bien podría hacernos desistir, pero nos mantenemos firmes y creemos que ese enfoque merece la pena. Sabemos que Karina se asentará, finalmente, cuando un nuevo entorno de aprendizaje le resulte familiar. Aunque a veces da la impresión de estar muy distraída para aprender algo en algunas de las sesiones, en otras ocasiones su comportamiento posterior demuestra que esa impresión es errónea.

Karina empezó a ir al centro de atención de día a una edad muy temprana, en parte porque yo tenía que trabajar, pero también para que dispusiera de amplios contactos con otros niños. Deseamos que se sienta a gusto como parte de un grupo.

A comienzos de 1994, cuando Karina tenía 3 años y medio, inicié mis propias pesquisas acerca de las opciones educativas que se abrían para ella. A mediados de ese mismo año, Rodney y yo participamos en un encuentro organizado por Disability Services con padres de niños que iban a empezar la escuela al año siguiente. Hablamos de las posibilidades a nuestro alcance: en resumen, podemos escoger una escuela especial, una escuela con una unidad especial para niños discapacitados o integrarla dentro del sistema escolar estatal o privado.

Nuestra primera opción es la integración. Siempre hemos esperado que Karina encontrará un día su lugar en la comunidad real y creemos que la naturaleza de su discapacidad va a permitírselo. Niños y adultos con otros tipos de discapacidad tal vez estén mejor en un contexto educativo segregado, pero pensamos que ésta no es la solución adecuada para Karina.

Estamos decididos a matricularla en la escuela primaria católica St. Brigid's, en Middle Swan. Danika es muy feliz en ella, y a nosotros nos gusta el cálido sentido de comunidad que se respira en dicha escuela. Pero ¿aceptarán a Karina?

Nuestras pesquisas iniciales eran prometedoras, por lo que a finales de 1994, con el apoyo de Disability Services, matriculamos a nuestra hija en St. Brigid's para que empezase el curso preescolar en 1995. Por si este proyecto fracasaba, la matriculamos también en otra escuela con una unidad especial para niños discapacitados.

En este momento, Karina está empezando a utilizar el lavabo. Se muestra participativa, abierta, disfruta con los libros y empieza a sentarse y a escuchar. Le gusta sentarse en círculo con otros niños para comer una fruta o un bocadillo. Además, es capaz de sujetar una pluma con su mano, hojear un libro y, desde que tenía 3 años, ha utilizado la goma de pegar.

Más tarde comprendí que me había equivocado en un detalle: no subrayé lo suficiente la importancia de estos logros positivos de Karina. Cuando a finales de 1994 Rodney y yo, juntamente con un representante de Disability Services, nos reunimos con personal directivo de la escuela, para informarles mejor de las necesidades específicas de Karina, empecé enumerando la lista completa de las cosas que mi hija no podía hacer. También mencioné lo que puede hacer, pero primero les comuniqué las «malas noticias». Lo referente al aseo personal, que (como todo lo demás) le llevó mucho más tiempo controlar de lo que en un principio habíamos esperado, constituía la máxima preocupación en aquel momento. Aunque mencioné su maravillosa personalidad, más tarde he lamentado no haber subrayado más este aspecto. Karina puede tener sus problemas, pero el personal responsable de todos los programas en los que ha participado hasta este momento la han apreciado mucho. Siempre ha prestado una colaboración positiva dentro de cualquier grupo social, a través del diáfano carisma y del auténtico amor hacia las personas que posee.

Además de nuestro grupito, están en la habitación el director de la escuela, el subdirector, dos maestras de enseñanza preescolar, un coordinador especial de la escuela y un ayudante especial. Karina se muestra muy excitada por ser el centro de atención y se comporta consecuentemente. Saluda a las personas, interrumpe a los miembros del equipo directivo cuando hablan, explora el contenido de cajas y estanterías, y reordena de nuevo todo aquello de lo que se encapricha. Lamento que nuestra entrevista no esté saliendo todo lo bien que a mí me gustaría. Como madre de Karina, soy hipersensible. Deseo que el equipo directivo se alegre de que Karina forme parte de la escuela. O dicho de otra manera: no me gustaría que sintiesen que mi hija es una carga que ellos se ven obligados a aceptar.

Es consolador oír más tarde de boca de una de las maestras de preescolar que muchos niños de la edad de Karina se habrían comportado de manera parecida en un entorno nuevo y estimulante, independientemente de que tuviesen o no alguna discapacidad. La misma profesora afirma que a ella no le importaría tener a Karina en su clase en 1995.

La verdadera importancia de este encuentro no la percibí en el momento de su celebración, sino cuando ya había pasado algún tiempo. Las líneas de comunicación habían sido abiertas y, lo que es más importante, todo el mundo podía encontrarse con Karina. Su comportamiento no había sido el mejor, pero estuvo a la vista de todos.

A principios de 1995, Karina comenzó asistiendo a clase dos mañanas cada semana. Así continuó casi hasta finales de la primera evaluación. Durante la segunda evaluación y la mayor parte de la tercera asistió a clase tres mañanas a la semana. Su tiempo de asistencia aumentó a dos medios días y un día completo, y hacia finales de la cuarta evaluación pasó a asistir dos días completos y un medio día cada semana.

Esta introducción gradual a la enseñanza preescolar se adapta bien a Karina. Al principio, le resultaba duro el trabajo escolar y posteriormente siguió encontrándolo agotador. El horario depende del tiempo que la escuela puede asignarle un profesor auxiliar.

Cada mañana trabaja con Karina un profesor de apoyo especial. Por las tardes, nuestra hija se las arregla sin esta ayuda, gracias en parte al magnífico trabajo de su profesora y del ayudante de la profesora. Su tiempo de educación, ahora y en el futuro, depende de la disponibilidad de recursos para pagar las horas que un profesor de apoyo especial dedica a atenderla mientras ella trabaja en su propio programa dentro de la clase.

No puedo pretender que las primeras semanas hayan sido fáciles para ninguno de nosotros. Es un momento de cambios trascendentales para mí. Aquel primer día tan importante derramé muchas lágrimas. Habiendo vivido ya paso a paso el proceso del inicio de la operación de «soltar amarras» de Danika cuando empezó la escuela, esta nueva experiencia no me resultó del todo inesperada, pero sí todavía muy dura. Durante cuatro años y medio he sido el centro en torno al cual ha girado la vida de Karina. En las visitas que nos hacían los formadores sociales, el peso recaía siempre en mí, que tenía que contarles todo aquello que Karina podía y no podía hacer. Ahora, de pronto, mi papel es el de escuchar. No me corresponde a mí decirle a la profesora de Karina qué es lo que ha de hacer.

Ocupar un lugar secundario puede ser duro, particularmente cuando tu hijo está implicado —y más en particular cuando tu hijo es discapacitado—. Pero, por duro que sea, reconozco la importancia de la buena comunicación. La simple argumentación raramente aprovecha a alguien, pero, en cualquier caso, el que no saca ninguna ventaja es el niño que tal vez constituye el tema del debate.

La maestra de preescolar que aceptó tener a Karina en su clase lleva más de veinte años en la enseñanza, pero nunca había tenido una alumna con síndrome de Down. Sé perfectamente que esto será una nueva experiencia para ella: también ella aprenderá cosas. Tiene que conocer a Karina, ha de descubrir qué significa enseñar a una niña discapacitada y ha de poner a punto un programa que responda a sus necesidades. Personalmente, la aprecio enormemente por la buena voluntad que manifestó al aceptar hacerse cargo de mi hija, y trato de respaldarla en estos primeros momentos, mientras se acostumbran la una a la otra.

También soy consciente desde el principio de que la discapacidad de Karina significa que nos hemos de enfrentar a muchos más problemas que si ella no hubiese nacido con el síndrome de Down. Sin embargo, si hemos de ir a alguna parte, es importante tener un espíritu de cooperación, y creo que es importante hacer esto con todos nuestros hijos. Tratamos siempre de escuchar a la profesora, de ayudarla en la clase cuando nos lo pide y de no callarnos cuando las cosas parecen ir bien o mal.

La profesora de Karina y yo no siempre estamos de acuerdo. Ella es muy directa y dice exactamente lo que piensa. A veces no sé cómo interpretarla, lo que significa que pueden surgir ciertos roces mientras se afianza nuestra relación mutua de profesora y de madre. Lo importante del caso es que ninguna de las dos nos callamos y que ambas estamos deseosas de aprender la una de la otra.

Pasadas algunas semanas, empezamos a utilizar lo que nosotras llamamos un «libro de comunicación». En realidad, es un cuaderno o libro de ejercicios donde cada una de nosotras pone por escrito mensajes relacionados con los logros de Karina, con los problemas que cualquiera de nosotras pueda tener con ella, con las sugerencias de trabajo y con los horarios de nuestras citas mutuas. La eficacia de esta iniciativa es doble. Por una parte, mantiene abiertas las líneas de comunicación con un talante positivo y cooperativo. Por otra parte, significa que no estoy monopolizando el tiempo de la profesora cada mañana y cada tarde cuando todos los niños entran en la escuela y salen de ella con sus padres.

Karina se lo pasa bien en la escuela una vez superado el período de adaptación. Como se esperaba, su comportamiento ha sido bastante caótico en ocasiones durante el primer trimestre. Todavía está aprendiendo una nueva rutina y adaptándose a ella, y muchas mañanas, cuando apenas ha terminado de preguntar «¿Qué hago yo?», se lanza a la carrera hacia las estanterías de libros o hacia una de las brillantes y atractivas exposiciones que hay en la clase. Su profesor de apoyo especial está allí pendiente de ella para ayudarla a seguir el camino que se le señala. Una vez que sabe qué es exactamente lo que se espera de ella, la vida se hace más fácil para todo el mundo. Karina ha aceptado siempre de buen grado y con gusto una rutina familiar, por lo que no nos sorprende que la disciplina del entorno escolar se adapte bien a ella.

Ni que decir tiene que nosotros estamos escantados con los progresos de Karina durante el año 1995. De todos modos, al final de su primer año en la escuela estuvimos de acuerdo con la profesora en que a Karina le convendría continuar algún tiempo más en parecidas condiciones durante el año 1996. Así pues, empezó la enseñanza preescolar a tiempo pleno durante la segunda evaluación, en 1996, y continuó desarrollando sus habilidades para escuchar, escribir y cortar, y naturalmente sus habilidades sociales.

Se nos informa que Karina pasará al primer curso en 1997. A mí me sorprendió precisamente la emoción que todos sentimos cuando Karina llegó a casa con la lista del material escolar que, justamente como cualquier otro alumno, iba a necesitar para el primer curso. Han sido necesarios seis años para que Karina llegue hasta ahí.

El próximo año tendrá su propio programa dentro del marco del primer curso. Cuando la clase escriba, ella escribirá también, aunque trabajará dentro de su programa individual. Un profesor de apoyo especial estará allí para ayudarla en las tareas de la clase.

El paso al primer curso señalará también el fin de nuestro compromiso con el Early Intervention Program [Programa de Intervención Temprana]. Ahora hace justamente algo más de un año que se despertó en mí cierto temor cuando vimos que empezaba a quedar en suspenso el programa que tanto había ayudado a Karina y que a todos nos había enseñado lo mucho que podemos hacer para ayudarla. Como no podía ser de otro modo, esta suspensión del programa ha sido tan gradual que nosotros nos sentimos con la suficiente confianza como para animar a Karina a continuar su futuro desarrollo a través del sistema escolar.

9

¿Qué dice papá?

Casualmente, Rodney Potter había estado relacionado con personas con síndrome de Down antes de que naciese Karina. Durante doce meses había sido presidente del comité para Australia Occidental del Citizen Youth Award, un programa dirigido por el club internacional Hoo Hoo, una organización al servicio de personas relacionadas con la industria de la madera. Su programa de premios anuales para jóvenes pretende incentivar a aquellos jóvenes discapacitados física e intelectualmente que trabajan en la madera.

Rodney no podía sospechar entonces que cuatro años más tarde su segunda hija nacería con síndrome de Down. En las páginas que siguen comparte con los lectores algunas de sus experiencias a lo largo de estos seis últimos años y sus pensamientos sobre Karina y su discapacidad...

Antes de relacionarme con el Citizen Youth Award me había preguntado alguna vez cómo sería el trabajo con personas con una discapacidad como el síndrome de Down y me había sentido inquieto. Después me enrolé en el voluntariado y de entrada me enfrenté con graves problemas, viéndome obligado a mezclar cosas tan dispares como visitar las escuelas y promover los premios, y ayudar a muchos de los participantes con sus modelos.

Creo que me entendí bien con las personas con síndrome de Down porque veía que en general eran muy felices, tranquilas, abiertas y amistosas. Todos los que participaron en el programa recibieron un trofeo o certificado. De todos modos, el aspecto realmente mágico de esta experiencia fue que muchos de los jóvenes galardonados no habían recibido con anterioridad reconocimiento alguno por obras que habían hecho.

Si en los días siguientes al nacimiento de Karina (cuando se nos comunicó el diagnóstico de su discapacidad) yo hubiese sabido que mi hija iba a ser la chiquilla que es hoy, no me habría inquietado tanto, pero entonces Gun y yo sabíamos muy poco del tema y esperábamos respuestas a demasiadas preguntas.

El nacimiento de Karina fue bastante hermoso, como yo había esperado. En mi mente se ha grabado sobre todo el recuerdo de Jill queriendo adelantar las cosas cuando se aproximaba el final y ¡el de Gun intentando clavar sus dientes en mi mano! Por lo demás, todo pareció sencillo, muy natural y tranquilo. Estábamos en nuestra casa, no fue necesaria ninguna intervención médica, todo sucedió cómo había previsto la naturaleza. Mi madre y mi padre estaban allí cuidando de Danika. Con la familia a nuestro alrededor, todo fue muy agradable y relajado.

Poco después del nacimiento de Karina, tuve la sensación de que algo no marchaba bien. Es difícil explicarlo, pero a veces me asaltan estos sentimientos, como una premonición, y ahora estoy aprendiendo a avenirme a ellos. Sin embargo, en aquella ocasión los dejé de lado porque, después de todos los acontecimientos vividos aquel día, Gun y yo estábamos muy cansados y yo, además, estaba ocupado en mostrar a Karina a los familiares que nos acompañaban y en servir el champán. Incluso más tarde, cuando Jill y mi madre habían partido con Karina hacia el hospital, no se nos ocurrió pensar en nada malo. Nos pareció una buena idea hacerle un chequeo a nuestra hijita, simplemente una precaución normal, y nunca pasó por mi mente el pensamiento de que algo fallara. Mirando retrospectivamente, no se entiende realmente que por nuestras cabezas hubiera pasado semejante idea.

La mañana siguiente al nacimiento de Karina, cuando Gun y yo nos preparábamos para ir al hospital, mi madre me dio un abrazo. Parecía terriblemente traspuesta y su comportamiento me intrigó. Yo no sabía si ello se debía simplemente a su alegría o a otra cosa, pero, como las emociones tienden a desbordarse con ocasión de un nacimiento, no pensé demasiado en el asunto. Me sentía todavía a las mil maravillas porque acababa de tener una hija y me estaba preparando para ir a verla al hospital.

En el hospital nos sentimos conmocionados al ver a Karina en la incubadora, conectada a varios tubos. Evidentemente, entonces comprendí que algo marchaba mal, y el sentimiento de terror y malestar que me había asaltado inmediatamente después del nacimiento reapareció en mí. Ni siquiera entonces cruzó por mi mente la idea de que Karina padeciese algún tipo de discapacidad: simplemente no podía explicarme por qué nuestra pobre hijita se encontraba en aquella situación.

Lo más duro fue el hecho de tener que esperar para hablar con el pediatra, con Karina en la incubadora a nuestro lado. Cuando el pediatra nos comunicó que estaba casi completamente seguro de que nuestra hija había nacido con síndrome de Down, sus palabras tardaron un par de horas en calar hondo en nosotros. En aquel momento lo peor de todo fue que apenas sabíamos qué alcance iba a tener aquella circunstancia para Karina y para nosotros. Los médicos y las enfermeras trataron de explicarnos qué era el síndrome de Down, pero nadie fue entonces capaz de ofrecernos realmente las respuestas que deseábamos. Nos planteábamos todo tipo de cuestiones acerca de las dificultades de aprendizaje y de la esperanza de vida... Nuestra hijita yacía allí y nos preguntábamos si iba a continuar así para siempre.

El personal del hospital se comportó maravillosamente, pero únicamente pudieron apoyarnos en relación con la situación que ellos veían, y por este motivo nos pusieron en contacto con la Down Syndrome [Asociación del Síndrome de Down]. Más tarde, experimentamos un cierto alivio al encontrarnos con una familia que tenía un niño con síndrome de Down: un niño que corría de acá para allá haciendo lo que hacen los niños normales.

Para mí, lo más duro fue oír que la esperanza de vida de una persona con esta discapacidad se podía calcular en unos 40 años. Ahora podemos decir que semejante estimación está hecha a la baja, pero en aquel momento todo lo que nosotros sabíamos realmente era que nuestra hija había nacido con síndrome de Down y que su esperanza de vida sería corta. Era como si estuviésemos viviendo una pesadilla: ¿por qué me ha sucedido esto a mí? ¡Pobre de mí! ¡Pobre de ella!

Permanecimos en el hospital aquella primera noche y como es lógico volvimos a casa física y emocionalmente agotados. Karina era nuestra hija y nosotros la amábamos de todo corazón: teníamos que aceptar esta situación con todas sus consecuencias, pero, cuando tienes un hijo, esperas que crezca, que vaya a la escuela, que consiga un empleo, que encuentre una persona con quien formar pareja y que tenga hijos...; en una palabra, que tenga una vida normal. ¿Cuál era la realidad de nuestra situación actual?

Cada uno de nosotros sufre a su manera. Mi madre estaba terriblemente acongojada y todos tratábamos de consolarnos unos a otros. La familia no es como los amigos. Nuestros padres estaban apenados de la manera en que sólo los padres pueden estarlo: cuando tu propio hijo está acongojado es para ti una doble tragedia. Mi madre no me pudo decir cómo se sentía, por eso me escribió una nota la mañana que nosotros pasamos en el hospital y me la entregó al día siguiente.

Simplemente, ¿hasta qué punto será el síndrome de Down un impedimento para Karina? ¿No será acaso por este motivo capaz de ir a la escuela? ¿Permanecerá con nosotros el resto de su vida o vivirá un día de forma independiente? Reclamábamos información y ahora se nos bombardeaba con ella. En este punto, nos resultó difícil mantenernos al día mientras al mismo tiempo tratábamos de adaptarnos a la situación. El principal mensaje que recibimos fue que existían organizaciones a nuestro alcance que podían ayudarnos.

Cuando tuve que volver al trabajo, Gun se ocupó de toda la información nueva. Ella me mantuvo siempre al corriente de lo que pasaba, lo que hizo las cosas más fáciles, pues no pude acompañarla a todas las consultas médicas ni tampoco estuve presente cuando comenzaron las visitas del Early Intervention Program [Programa de Intervención Temprana]. Gun tiende a repetir una y otra vez las cosas, para que se graben intensamente tanto en su mente como en la mía, y esto ha representado una gran ventaja.

El Early Intervention Program ha sido de un valor incalculable. Sin él, Karina no habría desarrollado las habilidades que necesita para asistir al centro de atención de día y a la escuela a una edad tan temprana como lo ha hecho, ni habría tenido la posibilidad de desarrollar sus habilidades de comunicación personal.

Gracias al magnífico enfoque que dicho programa hizo de los diversos estadios del desarrollo infantil, hemos podido ver que Karina no ha cesado de progresar desde el momento en que empezó a recorrer con éxito cada uno de los estadios. Esto por sí solo era un estímulo para seguir adelante.

Aquellos primeros días nos era imposible predecir qué reservaba el futuro a nuestra hija. Y, aunque podemos seguir afirmándolo ahora, ha desaparecido el grado de ansiedad de entonces. Karina se iniciará muy pronto en el aprendizaje de las habilidades relacionadas con el cuidado de sí misma y, cuando recientemente fue sometida a una prueba para evaluar su aptitud para seguir el programa, me impresionó su habilidad razonadora. Creo que, si pudiera oír y hablar normalmente, aprendería con relativa facilidad.

La comunicación es, sin duda, el asunto más delicado y puede convertirse en fuente de frustraciones para ella y para su entorno. Un buen ejemplo es lo sucedido recientemente en el aparcamiento de coches de la escuela, cuando se negó a caminar conmigo y cogió una rabieta. Habitualmente no le gusta caminar por su cuenta y prefiere que la lleven en brazos, pero su peso resulta ya excesivo y a menudo me veo en la obligación de agacharme frente a ella, mirarla interrogativamente a los ojos y animarla a que camine a mi lado. Cuando la llevo a cuestas, le hago ver que este tipo de transporte no es excesivamente confortable, y cuando camina a mi lado trato de ofrecerle toda clase de seguridades y estímulos. El día de la rabieta en el aparcamiento yo había interpretado erróneamente que su frustración provenía del hecho de haberla obligado a caminar, en contra de su deseo de que la llevásemos en brazos, pero en realidad ella *deseaba* caminar, aunque con su hermana y su hermano, no con su padre.

Cuando yo tenía seis o siete años de edad me resultaba muy duro hablar con la gente. Mi timidez y escasa habilidad para comunicarme llegaron a ser tan llamativas que me enviaron a una clínica de West Perth para recibir tratamiento. Esto me ayudó a confiar en mí mismo, y en cierto sentido me permite compartir muy de cerca los sentimientos de Karina. Sé cómo sientan esas cosas y que se rían de ti por ese motivo.

Como padre, trato de proteger a mis tres hijos, pero especialmente a Karina. Cuando oigo que alguien ha ofendido intencionadamente a una persona discapacitada me enfado, y cuando me entero de que el gobierno está recortando los fondos destinados a los discapacitados reacciono con extremada rigidez y emotividad. Para mí, es como si todas esas medidas estuviesen dirigidas directamente contra mi hija.

La idea de que alguien venga a cuidar de Karina en nuestro propio hogar, con Danika y Joshua, de manera que Gun y yo tengamos de vez en cuando un fin de semana libre, no me parece mal... Pero no me gusta la idea de que Karina pase el fin de semana con otra familia. Aunque personalmente reconozco que esta solución puede ser buena para el resto de la familia, tengo la sensación de que de esta manera nos desentendemos de Karina para que otros cuiden de ella, como si dijésemos: «¡No te queremos con nosotros este fin de semana!». Personalmente, habría tenido la sensación de que le había fallado.

Me molesta y ofende que otros niños la traten como una curiosidad. Los niños que conocen a Karina suelen adoptar una actitud protectora hacia ella, pero a veces otros niños se ríen de ella y la convierten en blanco de sus chistes. Ella continúa en general riéndose, incluso cuando se echan sobre ella y están a punto de hacerle daño, porque le gusta formar parte del juego.

También me molesta a veces cuando la veo ahora con sus hermanos intentando jugar a su mismo nivel. Recientemente Karina dedicó cantidad de tiempo y esfuerzos a rodear con un cordel las patas de una mesa para poder participar con ellos en un juego de «caballos». Cuando ella terminó sus preparativos, sus hermanos se fueron a jugar a otro sitio. No les culpo a ellos: simplemente estamos ante una nueva etapa del desarrollo de Karina.

Lo que realmente desea Karina es que la acepten, llevarse bien con todos. En la escuela, hay una estricta regulación y ella sabe exactamente qué puede esperar. Por ejemplo, a la hora del bocadillo los niños se sientan en círculo, abren sus fiambreras, sacan y desenvuelven su bocadillo y lo comen, después recogen las sobras, las tiran al cubo de la basura y colocan de nuevo la tapa de sus fiambreras. Todo está perfectamente regulado y Karina realiza la secuencia de actos a las mil maravillas. En casa es una auténtica gamberra, lucha con Joshua y su comportamiento deja bastante que desear.

Veo más probable que nuestros otros dos hijos crezcan y puedan llevar una vida normal. Karina ha alcanzado ahora la etapa en que su personalidad y magnetismo natural van a verse ampliamente desbordados por lo que puede conseguir. Ha de ser capaz de ejercer con una cierta perfección las habilidades que le serán necesarias en la vida, y nosotros no sabremos qué es lo que ella puede obtener de la vida hasta que, de hecho, lo obtenga.

La senda de la vida de Karina es incierta y, aunque esto no le preocupe a ella lo más mínimo, como padres, la protegemos y le deseamos lo mejor. Si tenemos en cuenta su discapacidad, me siento verdaderamente orgulloso de ella y de lo que es capaz de hacer.

10

Fiesta de cumpleaños

Las fiestas de cumpleaños de los niños son un terreno peligroso para los padres. Semanas enteras planificándolas, preparándolas y discutiendo angustiosamente las listas de invitados pueden desembocar en un éxito clamoroso o ¡en un clamoroso fracaso!

La fiesta de Karina, celebrada el día después de cumplir seis años, constituyó un éxito abrumador. El amor que le demostraron los niños y sus padres, y la propia alegría y orgullo de nuestra hija comportándose como una perfecta anfitriona, contribuyen a que se desvanezcan algunas de las preocupaciones que tenemos acerca de su participación en la comunidad escolar.

En nuestra familia celebramos todos los años el cumpleaños de cada uno de nuestros hijos. Creemos que estas fiestas son importantes para enseñarles el valor de la amistad... ¡La infancia pasa tan rápidamente! Para Karina especialmente, esto es una oportunidad para expresar nuestro agradecimiento a su grupo de amigos y, al mismo tiempo, es una ocasión para que otras personas vean que ella puede disfrutar de una fiesta normal de cumpleaños como cualquier otro niño.

Es el mejor regalo que cada uno de nosotros podemos hacerle. A Karina le gusta la gente y el ruido, el calor y la actividad que suelen acompañar a las personas.

Escoger un regalo convencional para ella no ha sido nunca una tarea fácil. Pensamos mucho qué regalo escogemos para ella: un visor dotado de un botón de mando que proyecta imágenes en la pared. Muchos juguetes y juegos no son apropiados porque su fuerza lúdica se basa en la imaginación del niño que los utiliza y el juego de Karina raramente es creativo. Le gusta la televisión y los vídeos, pero nosotros preferimos darle algo más estimulante, algo que la anime a hacer cosas por sí misma. El proyector la obliga a oprimir el botón para pasar de una imagen a otra. A menudo la oigo en el vestíbulo ofreciéndole a su hermano Joshua una sesión de imágenes o, para decirlo con sus propias palabras, una «pishesho» (*picture show*, según la pronunciación aproximada de Karina). Ella manda en el juego y le gusta.

Para el gran acontecimiento, reservo una sala en nuestro McDonald's local de Midland. Por diversas razones, el Restaurante Familiar McDonald's se ha convertido en uno de nuestros lugares favoritos. Posee una zona de juegos segura y vallada, el precio de los alimentos es razonable y, si al llegar a casa les ofrezco a mis hijos un plato a base de frutas, puedo sentirme tranquilo porque su comida ha sido equilibrada.

Sin embargo, lo más importante para nosotros es la consideración y la tolerancia que muestra el personal de McDonald's con respecto a los niños discapacitados caóticos. No es raro que Karina atraviese corriendo la cocina hasta llegar a la ventanilla donde se sirve la comida a clientes que la recogen desde su coche y se ponga a repartirles servilletas de papel a los ocupantes de los vehículos antes de que podamos retirarla de allí. Entabla fácilmente conversación con las cajeras y, aunque esto podría dar lugar a situaciones embarazosas en muchos lugares, en McDonald's la molestia es mínima.

Al hacer la reserva, menciono la condición de discapacitada de mi hija y les pido que, si es posible, pongan a nuestra disposición durante la fiesta una persona que tenga experiencia con niños activos como Karina. También les sugiero que no estaría mal contar con una segunda persona. La gerencia no pudo ser más servicial, organizando incluso el personal para canjear listas con el fin de complacer a nuestros invitados.

Con anterioridad, yo había pedido a las profesoras de Karina que me indicasen el nombre de seis niños que hubiesen pasado algún tiempo con ella en la escuela preprimaria y que la hubieran admitido en sus juegos. A estos seis niños se añadieron otros amigos. En total, en la fiesta de su cumpleaños acompañaron a Karina quince niños. Algunos son de primero y los conoció el último año de preescolar.

Karina es una niña bulliciosa y activa. Y justamente por eso tiende a jugar con los niños más que con las niñas de su propia edad. Atrae la atención de los niños activos y cariñosos y de las niñas de cinco y seis años de edad con «instinto materno». Las niñas que juegan tranquilamente en grupos escogidos no tienen ordinariamente la paciencia necesaria para entretenerse con una compañera como Karina. Ella, de todos modos, tiende a sacar lo mejor de fuentes a menudo inesperadas.

El año pasado, por ejemplo, uno de sus aliados era un muchacho que a menudo se veía envuelto en problemas por faltas relativamente menores, de esas que suelen hacer que un niño destaque negativamente; sin embargo, con relación a Karina, mostraba una actitud absolutamente protectora y con el tiempo la incluyó en su círculo de amigos de juego. Por este motivo se le elogió con toda razón. Ella había hecho aflorar en él un aspecto de su personalidad que de otro modo tal vez habría permanecido oculto. A nosotros nos encanta que Karina sea invitada a la fiesta de cumpleaños de ese niño.

El sábado de la fiesta comienza, como es habitual, a las 5.30 de la mañana, con Karina que sube las escaleras para dirigirse a nuestro dormitorio, se arroja pesadamente entre Rodney y yo, nos abraza y charlamos un momento antes de dormirnos rápidamente. Hemos aprendido a girarnos para evitar el golpe porque ¡ay de quien ocupa el centro de la cama cuando las posaderas de Karina chocan contra las sábanas!

A la hora del desayuno, pide una «tote» (*toast*, «tostada») utilizando el signo Makaton para decir pan o sándwich y «bababa» (su manera de decir *milk,* «leche»). Y de nuevo la corregimos.

«¿Quieres decir que deseas "leche", Karina?»

Ella misma extiende la mantequilla sobre su tostada y la pliega formando un sándwich.

Después del desayuno vamos todos de compras a la mantequería. Los días en que me hago cargo yo sola de nuestros tres hijos suelo evitar esta tarea. ¡Y la evito a toda costa con Karina y Joshua juntos! Una niña de 6 años con un comportamiento a veces caótico y un activo chiquitín de 3 años pueden dar lugar a una combinación explosiva.

Si he de quedarme con uno de los hijos y no ando con prisas, escojo siempre en primer lugar a Karina. Ella disfruta relacionándose con la gente y, si se ve rodeada de cosas que le resultan nuevas, se distrae más fácilmente que Danika o Joshua. Puesto que Karina no está obsesionada por poseer cosas, tampoco suele pedirlas. Mientras tengo tiempo para seguir hablando con ella y mantener vivo su interés, se deja guiar con relativa facilidad y se mantiene alegre y dispuesta a cooperar.

Hace un año las cosas se presentaban de muy distinta manera. Una de sus peores costumbres era la de dejarse caer pesadamente y negarse a caminar, de manera que a menudo tenía que recogerla del suelo y llevarla en brazos hasta el coche. En aquel momento Karina estaba a punto de alcanzar un peso que hacía imposible su transporte en brazos, razón por la cual me preocupaba cómo podría arreglármelas a la vez con ella y con Joshua. Si con un niño ya resulta difícil acceder de forma segura a un centro comercial desde el aparcamiento donde has dejado tu coche, con los dos niños a la vez la cosa se convertía en una verdadera batalla.

Más o menos por esa época, Disability Services me sugirió que pidiese una etiqueta para minusválidos. Para todos nosotros sería más seguro y más fácil si con el coche familiar se nos permitiera acercarnos lo más posible al bordillo de la acera y a la zona de entrada del centro comercial, pero nuestra instancia no obtuvo respuesta positiva. Se nos dijo que la discapacidad física de Karina no era de tal naturaleza que justificase la concesión del permiso de acceso a una zona para minusválidos. Si creciese el número de responsables de centros comerciales que toman la iniciativa y ponen (a disposición de quienes lo solicitan) tales zonas de acceso restringido a los clientes habituales, nuestra batalla semanal con cochecitos de niños, bebés y chiquitines —y niñas como Karina— sería mucho más llevadera.

Estos días evito aquellos lugares en los que probablemente ella se verá obligada a caminar más de lo razonable. Cuando de hecho se sienta y me pide que la lleve en brazos, trato de animarla a caminar, aunque lo haga colocando sus pies sobre los míos mientras yo la sujeto por el pecho.

Es hora de prepararnos para la fiesta. No sabría decir con seguridad si Karina lo espera o no con ilusión: ella sabe que vamos al restaurante McDonald's, porque cuando le pregunto sobre su fiesta de cumpleaños, dice: «Dododo (McDonald's)... mi... Ina» y hace gestos relacionados con una fiesta. De hecho, no siempre da muestras previas de excitación con relación a un acontecimiento y personalmente no estoy segura de que sea capaz de anticiparse a tales acontecimientos a partir del recuerdo que guarda de experiencias anteriores. Ésta es una de las cuestiones que espero plantearle cuando sea capaz de hablar con mayor nitidez.

De lo que no cabe duda es de que Karina parece totalmente feliz mientras se pone la falda, las medias y el suéter. Para entonces, también Danika y Joshua están excitados.

Llegamos al restaurante McDonald's a las 2.45 de la tarde, para que los colaboradores tuviesen la oportunidad de conocer a Karina antes de que llegasen sus amiguitos con sus padres. Estoy muy impresionada por el cariño que le demuestran todos, pero indudablemente lo que más me emociona es la manera en que mi hija saluda a cada uno de los invitados con un fuerte abrazo y un «ta tu» (su manera de decir *thank you,* «gracias») en el momento de recibir sus regalos.

Más tarde, cuando los camareros sacan la tarta helada, Karina se sienta y permanece en silencio mientras todo el mundo canta *Cumpleaños feliz*. Cuando la canción está a punto de terminar, apaga las velas soplando con fuerza dos veces. Hace un año nuestra hija no habría tenido tanta paciencia.

Desde muchos puntos de vista, la fiesta en su conjunto fue una auténtica revelación. Es algo entretenido, pero ¿qué fiesta en la que participan quince niños y niñas de 5 y 6 años de edad no lo es? Tal vez me haya habituado ya a vivir en medio del caos, pero realmente esperaba que en esta fiesta el desorden fuera mayor. El comportamiento de Karina fue ejemplar.

*

Activ Foundation está buscando una familia que pueda hospedar a Karina un fin de semana cada mes. Además, nuestra hija pronto estará en condiciones de participar en iniciativas como pasar algunos fines de semana en la granja escuela de Landsdale, cerca de Perth. Esto nos permitirá a Rodney y a mí dedicar algo más de tiempo a Danika y a Joshua, y, por nuestra parte, estamos considerando también la idea de apuntarlos a algunos talleres para hermanos que organiza la fundación.

Aunque nos queda mucho trabajo por delante, en términos generales la vida es ahora más fácil para nosotros, en la medida en que Karina es más consciente de los límites y los respeta mejor. Cuando digo: «Ahora vamos al coche», la probabilidad de que ella se dirija efectivamente al coche es más alta. Es capaz de seguir hasta el final las instrucciones que se le dan y no se distrae tan fácilmente. Ha mejorado su autocontrol, sus habilidades sociales se han limado y ha aumentado su capacidad comunicativa, siempre naturalmente dentro de su propio estilo. La chiquilla caótica que era se está convirtiendo en una muchacha a la que le gusta divertirse.

Karina ha empezado a reconocer a simple vista algunas de las palabras que son importantes para ella. Puede seleccionar su cinta de vídeo favorita, por ejemplo, a partir de la palabra «Bambi» escrita en la carátula, aunque no aparezca la figura de un ciervo que le sirva de estímulo. También ha empezado a dibujar figuras humanas, con ojos, cabello, piernas y una boca, lo que nos permite confiar en que, finalmente, pueda desarrollar las habilidades necesarias para escribir.

Hace tres meses sus tentativas de escribir el propio nombre dieron como resultado una serie de cruces. Ahora se percibe mejor la forma, en la medida en que ha mejorado su coordinación de la mano y del ojo y su control de la pluma. Karina disfruta tratando de escribir con letras de molde y quienes la conocemos reconocemos enseguida una serie de símbolos suyos característicos: el rasgo inicial de una «K», que aparece siempre al comienzo de su nombre, y el palote y el punto de una «i», que ella traza con una gran floritura. Recientemente también ha conseguido completar el dibujo de un coche que había empezado Rodney, añadiéndole cabello, ojos, nariz y una boca a «Osha» (Joshua), la figura que aparece detrás del volante. Todo esto nos dice que nuestra hija percibe ya de algún modo modelos de palabras y de dibujos y, empieza a reproducirlos de memoria. Esto nos dice, a su vez, que Karina tiene la capacidad para aprender el lenguaje escrito.

El habla es uno de nuestros mayores desafíos precisamente en este momento porque el desarrollo del habla de Karina ha alcanzado un estadio crítico. Aunque las comparaciones pueden ser peligrosas, no puedo por menos de señalar que Joshua (con aproximadamente tres años de edad) ha sobrepasado el nivel actual del habla de Karina.

La mayoría de los niños que están aprendiendo a hablar conocen, de hecho, bastantes más palabras de las que son capaces de decir. Con Karina esto es exagerado. Ella únicamente es capaz de verbalizar las palabras correspondientes a un nivel aproximado al de los 18 meses de edad, pero en cambio comprende el sentido de muchas más palabras que un niño de esa edad. Su habla es un pálido reflejo tanto de su nivel de comprensión como de sus habilidades sociales, que pueden confundir a personas que no la conozcan. El habla es una de las indicaciones obvias que utilizamos para evaluar la madurez de un niño, y quienes escuchan a Karina pueden fácilmente suponer, a partir de las limitaciones de su habla, que el nivel de comprensión de nuestra hija es bastante menor del que en realidad posee.

El hecho de no saber con certeza cuándo alcanzará Karina una determinada meta de su desarrollo es uno de los problemas que nosotros hemos tratado de superar, porque necesitamos reconocer cada una de sus nuevas etapas evolutivas con el fin de sacar el mayor partido de ellas. El hecho de contar con una hija mayor, Danika, me permite tener cierta idea de los cambios que podemos esperar en el desarrollo del lenguaje de Karina, aunque en ocasiones esto resulta difícil porque nada es predecible cuando un niño sufre una determinada discapacidad. La supervisión y el control se prolongan indefinidamente, a veces durante años.

Ésta es otra de las áreas en las que la experiencia del personal de Disability Services ha sido de un valor incalculable. Karina ha participado regularmente en grupos de logoterapia a lo largo de estos tres últimos años y cada semana nos ha estado visitando en casa un logoterapeuta. Actualmente, al trabajo sobre el habla le corresponde un 80% de todo el tiempo que dedicamos a trabajar con Karina. Ella se muestra receptiva y nosotros aprovechamos al máximo su interés.

Aunque confiamos en que finalmente ella aprenderá a hablar, probablemente su habla será siempre un tanto confusa. El ejercicio del habla implica un alto grado de coordinación, lo que lo convierte en algo especialmente duro para ella. Por este motivo, nos parece importante seguir incentivándola para que utilice los signos Makaton, que sin duda la ayudan a comunicarse mejor. Con toda probabilidad, Karina siempre va a necesitar complementar su lenguaje con signos extralingüísticos.

Esto me lo ha demostrado ella misma recientemente de forma clara un día que entró corriendo en casa para informarme de algo importante que acababa de suceder en el jardín, donde había estado jugando con nuestro enorme cachorro nuevo. Lo único que logré entenderle fue «dod» (es decir, *dog*, «perro» en inglés) y un sonido gutural parecido a «chchch» (su manera de expresar un estallido o encontronazo), acompañados de una expresión de espanto o sobresalto. Yo tenía cierta idea de lo que había podido pasar, pero disimulé, para ver si ella era capaz de esforzarse un poco más por transmitir exactamente su mensaje. Después de repetir el mensaje original, Karina finalmente se tiró hacia atrás y dio consigo en el suelo. Fue una demostración realmente creativa de un niño pequeño que se ve sorprendido por un perro que se lanza al vuelo sobre él. Al mismo tiempo, fue la prueba más clara de que Karina posee la habilidad de aprender a comunicarse, aunque tal vez sus métodos no sean totalmente convencionales.

En la última étapa de la enseñanza preescolar Karina fue galardonada con un diploma de mérito por calzarse sus propios zapatos. Esto representó una victoria de cierta importancia para ella y para los profesores, los padres y los alumnos que durante la mayor parte del año se habían negado a dejarse coaccionar para hacer esto mismo por ella. Al comienzo del curso escolar los profesores ayudaban a todos los alumnos de preescolar a calzarse los zapatos. Esta práctica le pareció a Karina una buena solución, hasta el punto de que continuó acosando a todo el mundo para que le hiciese este trabajo, incluso después de que los profesores dejaron de ayudar a los otros alumnos precisamente para que éstos aprendieran a valerse por sí mismos. Finalmente, sus ayudadores empezaron a rechazar educadamente la petición de ayuda de Karina, la cual, harta de mostrar a todos con gesto implorante sus zapatos, decidió que era más fácil aprender a ponérselos ella misma.

Decirle «no» a un niño discapacitado no resulta fácil. Pero, mientras el promedio de los niños puede necesitar algunas semanas o meses para romper con un mal hábito, un niño discapacitado necesitará probablemente mucho más tiempo.

En la asamblea escolar celebrada la última semana, Karina recibió su segundo diploma de mérito, por la independencia (respecto de su profesor auxiliar especial) mostrada en clase en la realización de las tareas. A nosotros nos encanta el hecho de que nuestra hija se haga acreedora de este tipo de premios porque ello demuestra que empieza a comprender cuáles son «las reglas del juego» y cómo ha de trabajar con las personas que forman su entorno.

La misma importancia tuvo para nosotros su comportamiento en la ceremonia de entrega de los premios. Después de haber ensayado varias veces la ceremonia en casa la noche anterior y de haberlo repetido a primeras horas de esta mañana, Karina se puso de pie nada más oír su nombre, recorrió el camino hasta llegar al estrado, recogió su diploma y estrechó la mano de su profesora. A continuación, dirigiéndose pausadamente a la parte de atrás del estrado, ocupó su lugar con los demás galardonados y permaneció de pie tranquilamente diez minutos en el grupo, hasta el final de la asamblea.

*

Cuando ahora releo la carta que escribí a mis amigos inmediatamente después del nacimiento de Karina, carta que, por otra parte, nunca llegué a echar al correo, me doy cuenta de lo ingenua que fui entonces. Dicha carta refleja mi tentativa desesperada de luchar a brazo partido con una masa aplastante de información nueva e importante que de repente tenía ante mí. De ella podría deducirse que, de acuerdo a lo que yo tendía a pensar entonces, cuantas más cosas supiese acerca del síndrome de Down, mejor madre sería para Karina. Era mi manera de aprender a convivir con el trauma.

Ahora veo que la manera que yo escogí de enfrentarme con mi dolor era muy imparcial.

A lo largo de estos seis años hemos aprendido a valorar lo mucho que el conocimiento y la experiencia de otras personas han contribuido hasta el momento al desarrollo de Karina. El hecho de participar activamente en el Early Intervention Program, por ejemplo, nos ha permitido ayudarla a que desarrolle habilidades que, de otro modo, seguramente no habría conseguido, y desde luego no al ritmo al que lo ha hecho. Ello ha significado que, siempre que ha sido posible, hemos incentivado a Karina en la dirección más apropiada a su etapa de aprendizaje, en el momento crítico. Por otra parte, esto ha supuesto para nosotros un apoyo inestimable, como profesores y familiares suyos.

A medida que ella alcanza cada uno de los nuevos estadios evolutivos, nuestra curva de aprendizaje se agudiza de nuevo, en el sentido de que tenemos que aprender todo aquello que necesitamos para empujarla a adquirir las habilidades que mejorarán su calidad de vida. Esta situación se va a prolongar durante mucho tiempo, pero en este momento ha desaparecido la desesperación que rezumaba mi carta de hace seis años. Karina nos ha enseñado a valorar la paciencia, la constancia y las cosas importantes de la vida.

Hace seis años, cuando alguien la reconocía como niña afectada por el síndrome de Down y nos decía lo afortunados que éramos, yo en realidad creía que lo decían simplemente para que nos sintiésemos mejor. Ahora sé que esas personas tenían razón. Karina es la única persona de nuestra familia que siempre se despierta feliz y permanece feliz la mayor parte del día. Es completamente feliz siendo precisamente ella misma, disfrutando de la vida.

Algunos padres de niños discapacitados de más edad tal vez lean estas líneas y nos consideren excesivamente ingenuos acerca de los desafíos que nos reserva el futuro... ¿Es que acaso una carencia de conocimiento puede convertirse ocasionalmente en una ventaja? Esto, al menos, nos conserva el optimismo necesario para hacer frente a tales desafíos con una mente abierta.

En la comunidad más amplia se acepta a menudo la idea errónea de que los niños nacidos con síndrome de Down comparten las mismas discapacidades y problemas de desarrollo. Sus rasgos físicos les otorgan cierta semejanza, como si todos perteneciesen a la misma familia. Esta identidad aparente es engañosa porque, como sucede con los niños considerados normales, cada niño con síndrome de Down es también una persona individual. El grado de discapacidad y el potencial de aprendizaje varía enormemente de unos a otros.

Ésta es nuestra historia del desarrollo de Karina y del impacto que sus primeros seis años han tenido en nuestras vidas. Y, puesto que cada niño con síndrome de Down es diferente, también será diferente la historia de cada niño, aunque como autoras de estas páginas esperamos que en la de Karina haya algo que pueda ayudar a otros padres y cuidadores de niños con necesidades especiales.

*

8 de junio de 1998:

Karina acaba de regresar de un campamento donde ha pasado el fin de semana con otros cuatro niños discapacitados y un grupo de cuidadores. Había sido organizado por Kids Camps, una organización que ofrece atención suplementaria a familias como la nuestra.

Fue su primer fin de semana lejos de nosotros ¡y la tranquilidad en casa era palpable! Mientras esperábamos que nuestra hija saliese del autocar que la traía del campamento, me llamó la atención el hecho de que los cuidadores parecían muy fatigados. (¿Damos nosotros alguna vez esa sensación de cansancio?) Una mujer cojeaba porque se había torcido el tobillo al tratar de seguir el paso a un chico particularmente activo.

Estos dos días constituyeron una maravillosa revelación para mí. Danika y Joshua jugaron con el Lego favorito de Danika, con un muestrario de química y con varios rompecabezas. Lo hicieron tranquila y amistosamente. Nosotros salimos a pasear, jugamos con nuestros hijos y pudimos dedicar algún tiempo a la jardinería, como una familia. El sábado por la tarde salimos todos a cenar fuera de casa. Fue una comida tranquila, durante la cual hablamos de cosas intrascendentes: algo a lo que, por desgracia, ya no estamos acostumbrados debido al estilo de vida cargado de tensiones que hemos tenido que aceptar.

Pude tender la ropa, limpiar la casa, ir al servicio, ducharme, leer los periódicos del fin de semana y sentarme a comer sin tener que asegurarme constantemente de que alguien supiese dónde estaba Karina y qué hacía en cada momento. Durante este fin de se-

mana conseguí también relajar mi atenazado estómago, olvidarme de mi paranoia y distender mis orejas.

Nosotros amamos a Karina de todo corazón y ella enriquece nuestras vidas con un carisma maravilloso, pero a veces no puedo por menos de envidiar a aquellas familias que no tienen un hijo como ella. Burlonamente, le sugiero a Rodney que tal vez no estuvimos del todo acertados al enviar a Karina al campamento: ¡ahora sabemos qué era lo que hemos echado de menos!

Naturalmente, continuaremos viviendo como hasta ahora, pero este último fin de semana nos ha mostrado que probablemente necesitemos recurrir más a menudo a servicios de apoyo como el que ofrece la organización Kids Camps. Eso nos permitiría organizar algunas excursiones y actividades familiares que responderían a las necesidades de Danika y Joshua, y así, cuando estemos de nuevo todos juntos, valoraremos más la vida en familia y disfrutaremos más intensamente de ella.

2 de agosto de 1998:

Semana atareada. Tres días después de la fiesta con la que celebramos el octavo cumpleaños de Karina se nos comunica que le ha sido diagnosticado, de momento de forma provisional, un desorden hiperactivo con déficit de atención (ADHD: Attention Deficit Hyperactivity Disorder). Su comportamiento es típico de los niños del tipo 1: se distrae fácilmente, se pone nerviosa, es impulsiva, no progresa al ritmo debido, manifiesta frecuentemente una actitud tendente al desorden y en la mayoría de las situaciones es hiperactiva.

El pediatra que evalúa el comportamiento de Karina describe a los niños con este tipo de ADHD como «toros en una tienda de porcelana», descripción con la que estoy totalmente de acuerdo. Más aún, es una expresión que yo misma he usado muchas veces para describir el comportamiento caótico de Karina.

Una vez más tenemos que hacer frente a lo desconocido. ¿Qué puede significar este nuevo diagnóstico y cómo va a afectar a nuestras vidas?

Pero, al lado de la incertidumbre, hay también un tremendo alivio. Cuando un niño se comporta como lo hace a menudo Karina, los padres pueden sentirse culpables: ¿soy ineficaz como padre? No todos los niños con síndrome de Down se comportan como Karina. Ésta es una de las posibles explicaciones.

Su comportamiento será reevaluado dentro de algunos meses, una vez que nosotros hayamos tenido tiempo de considerar las opciones concretas de dirección que están a nuestro alcance. A continuación iniciaremos una nueva ronda de encuentros con profesionales de la salud y con otras personas comprometidas con el bienestar de Karina para tratar de hacer lo que sea mejor para ella.

Glosario

Activ Foundation. Organización basada en la familia, sin ánimo de lucro, que ofrece oportunidades de alojamiento, de empleo y de descanso a personas con problemas de desarrollo.

Feldenkrais. Método de movimiento que, según su creador, estimula el desarrollo. Incita a personas de todas las edades y habilidades a continuar aprendiendo formas más eficaces y fáciles de moverse.

Índice de Apgar. Mide (a través del ritmo cardíaco, la respiración, el color de la piel y las respuestas cutáneas) la rapidez con que un recién nacido se adapta al entorno extrauterino. La prueba, calculada sobre una escala que va del 0 al 10, se realiza un minuto después del parto y se repite cada cinco minutos.

Informe Evaluativo del Desarrollo. Escala detallada utilizada mientras Karina participó en el Early Intervention Program. Se utiliza para evaluar el desarrollo de la motricidad fina y gruesa, el lenguaje receptivo y expresivo, el desarrollo cognitivo, las habilidades de autoayuda, la socialización y el juego.

Reflejo de bajada de la leche. La leche materna baja en respuesta a las hormonas liberadas en la madre cuando el bebé empieza a succionarle el pecho.

Reflexología. Forma delicada de curar, consistente en aplicar una presión alternativa en los puntos reflejos de las manos, los pies o las orejas, que se corresponden con los órganos del cuerpo.

Trisomía 21. Anomalía cromosómica caracterizada por la aparición de un cromosoma 21 de más.

Direcciones de interés

ASOCIACIONES SÍNDROME DE DOWN ESPAÑA

FEISD Federación Española de Instituciones para el Síndrome de Down
C/ Bravo Murillo, 79, 1°A - 28031 Madrid
Tel.: 91 533 71 38 Fax: 91 533 46 41
http://www.sindromedown.net/

Andalucía
ANDADOWN Federación Andaluza de Asociaciones de Síndrome de Down
C/ Perete, 36 - 18014 Granada.
Tel.: 958 16 01 04 Fax: 958 16 08 73
e-mail: andown@wanadoo.es

ASALSIDO Asociación Almeriense para el Síndrome de Down
Ctra. de Sierra Alhamilla, 156, bajo. Galería Comercial - 04007 Almería
Tel.: 950 26 87 77 Fax: 950 26 87 77
e-mail: sdown@larural.es

A.SI.QUI.PU. Asociación Si Quieres Puedo
Avda. Generalísimo, s/n (edificio Ayuntamiento) - 11160 Barbate (Cádiz)
Tel.: 956 43 45 53
Fax: 956 43 33 29 / 956 43 44 80
e-mail: asiquipu@wanadoo.es

Asociación Síndrome de Down de Cádiz y Bahía «Lejeune»
Avda. Ramón de Carranza, 26-27, 2° B - 11005 Cádiz.
Tel.: 956 26 00 18 Fax: 956 26 00 12
e-mail: asociacion.sindromedown@uca.es
http://www2.uca.es/huesped/down

Asociación Síndrome de Down «ciudad de Jaén»
Avda. de Andalucía, 92, bajo - 23006 Jaén
Tel.: 953 26 04 13 Fax: 953 26 04 13
e-mail: jaendown@inicia.es

Asociación Síndrome de Down de Córdoba
C/ Ronda de los Tejares, 24, esc. C, 5° - 14008 Córdoba
Tel.: 957 49 86 10 / 676 98 61 95
Fax: 957 49 86 10
e-mail: downcordoba@infonegocio.com

Asociación Síndrome de Down de Málaga «Nueva esperanza»
C/ Godino, 9 - 29009 Málaga
Tel.: 95 227 40 40 Fax: 95 227 40 50
e-mail: down@activanet.es
http://www.activanet.es/ong/down

Asociación Síndrome de Down de Sevilla y provincia
Avda. Cristo de la Expiración, s/n, local 4, bajo - 41001 Sevilla
Tel.: 954 90 20 96 Fax: 954 37 18 04
e-mail: asdsp1@teleline.es

Asociación Síndrome de Down Virgen de las Nieves
C/ Carilla, 8 - 11630 Arcos de la Frontera (Cádiz)
Tel.: 956 70 35 09

ASODOWN Asociación Síndrome de Down y otras minusvalías psíquicas
Ctra. La Barrosa. Parque Público «El Campito», s/n - 11130 Chiclana de la Frontera (Cádiz)
Tel.: 956 53 78 71 Fax: 956 53 78 71
e-mail: asdown@wanadoo.es

ASPANIDO Asociación Padres de Niños con Síndrome de Down
C/ Pedro Alonso, 11 - 11402 Jerez de la Frontera (Cádiz)
Tel.: 956 32 30 77 Fax: 956 32 30 77

ASPANRI-S.DOWN Asociación Síndrome de Down de Sevilla
Avda. Alcalde Luis Uruñuela, 1, local 1. Conjunto Residencial «Los Azores», edificio Cristina - 41020 Sevilla
Tel.: 954 25 82 82 Fax: 954 25 93 93
e-mail: aspanri@infonegocio.com

BESANA Asociación Síndrome de Down Campo de Gibraltar
C/ San Nicolás, 1, bajo, edificio Mar 1 - 11207 Algeciras (Cádiz)
Tel.: 956 60 53 41 Fax: 956 60 53 41
e-mail: besana@alehop.com

CEDOWN Centro de niños Down
Plaza de los Ángeles, parcela 9, local 5 - 11403 Jerez de la Frontera (Cádiz)
Tel.: 956 33 69 69

SIDOSER Asociación síndrome de Down de Ronda y la comarca
C/ José Mª Castelló Madrid s/n - 29400 Ronda (Málaga)
Tel.: 952 87 29 79 Fax: 952 87 29 79

Aragón

Asociación Down Huesca
Avda. de los Danzantes, 24, bajo - 22005 Huesca
Tel.: 974 22 28 05 Fax: 974 22 28 05
e-mail: HUESCA@santandersupernet.com

DOWN 21. Fundación Aragonesa para el Síndrome de Down
C/ Arzobispo Morcillo, 40, of. D/E, edificio Corindón - 50006 Zaragoza
Tel.: 976 38 88 55 Fax: 976 38 88 55

Asturias

ASDA Asociación Síndrome de Down de Asturias
C/ Fernández de Oviedo, s/n (Centro Social «Javier Blanco») - 33012 Ciudad Naranco (Oviedo)
Tel.: 98 511 33 55 Fax: 98 511 33 55
e-mail: asda@mrbit.es

Baleares

A.I.P.S.D. Asociación para la Integración de Personas con Síndrome de Down
Plaza Real, 8 - 07702 Mahón (Menorca)
Tel.: 971 36 62 64
Fax: 971 36 62 64 / 971 35 21 99
e-mail: aipsd@telyse.net
http://www.telyse.net/AIPSD

ASNIMO Asociación Síndrome de Down de Baleares
Ctra. Palma - Alcudia, km 7,5 - 07141 Marratxi (Baleares)
Tel.: 971 60 49 14 Fax: 971 60 49 98
e-mail: asnimo@lander.es

Canarias

Asociación Síndrome de Down de las Palmas
C/ Eusebio Navarro, 69, 3º - 35003 Las Palmas de Gran Canaria
Tel.: 928 36 80 36 / 928 36 39 82
Fax: 928 36 39 82
e-mail: asodown@infomail.lacaixa.es

Asociación Síndrome de Down de Tenerife
C/ Mencey Acaimo, 28 - 38008 Santa Cruz de Tenerife
Tel.: 922 25 05 03 Fax: 922 25 05 03

Asociación tinerfeña de Trisómicos 21
C/ Delgado Barreto 22, bajo derecha - 38204

La Laguna (Tenerife)
Tel.: 922 26 11 28 Fax: 922 26 11 28

Cantabria
Fundación Síndrome de Down Cantabria
Avda. General Dávila 24 A, 1° C - 39005 Santander
Tel.: 942 27 80 28 Fax: 942 27 65 64
e-mail: downcan@infonegocio.com
http://www.infonegocio.com-/downcan

Castilla-León
A.A.S.D. Asociación Abulense del Síndrome de Down
C/ San Juan de la Cruz, 36, bajo – 05001 Ávila
Tel.: 920 25 62 57 Fax: 920 25 34 48
e-mail: sindromedown@worldonline.es

AMIDOWN Asociación Amigos Síndrome de Down
Avda. Reyes Leoneses, 50, bajo (Polígono Eras de Renueva) - 24008 León
Tel.: 987 80 79 48 Fax: 987 80 79 48

ASDOPA Asociación Síndrome de Down de Palencia
C/ Antonio Álamo Salazar, 10, bajo - 34004 Palencia
Tel.: 979 71 09 13 Fax: 979 71 09 13

ASDOVA Asociación Síndrome de Down de Valladolid
C/ Tres amigos, 2, bajo - 47006 Valladolid
Tel.: 983 22 09 43 Fax: 983 22 09 43

Asociación Síndrome de Down de Burgos
Paseo de Pisones, 49 - 09003 Burgos
Tel.: 947 27 89 97 Fax: 947 27 89 97
e-mail: asd@cidmultimedia.es
http://www.cidmultimedia.es/asdburgos

Asociación Síndrome de Down de Salamanca de padres y profesionales
C/ Domingo de Betanzos, 12-14, 3° D - 37003 Salamanca
Tel.: 923 18 79 03 / 617 28 03 20
e-mail: downsalamanca@terra.es

Asociación Síndrome de Down de Zamora
C/ San Lázaro, 6, 2° E - 49025 Zamora
Tel.: 980 51 08 64 / 980 52 78 38
e-mail: r.parra.000@recol.es

Federación de Síndrome de Down en Castilla y León
Paseo de Pisones, 49 - 09001 Burgos
Tel.: 947 27 89 97 Fax: 947 27 89 97
e-mail: asd@cidmultimedia.es
http://www.cidmultimedia.es/asdburgos

Castilla- La Mancha
ASDOWNTO Asociación Síndrome de Down de Toledo
Trav. Marqués de Mendigorría, L, 1 - 45009 Toledo
Tel.: 925 23 41 11 Fax: 925 25 05 80
e-mail: asdownto-1@infonegocio.com

ASIDGU Asociación para el Síndrome de Down de Guadalajara
C/ Benito Chavarri, 5, 3° (edificio Ateneo) - 19001 Guadalajara
Tel.: 607 61 22 39

Asociación provincial Síndrome de Down CAMINAR
Pza. San Francisco, 6, 1° B - 13001 Ciudad Real
Tel.: 926 22 70 15 Fax: 926 22 70 15

AZUDA Asociación Integración «AZUDA» de Toledo
C/ Guadarrama, 14, 6° A - 45007 Toledo
Tel.: 925 23 25 47 Fax: 925 21 40 25

Cataluña
ALSD Asociación Lleidetana Síndrome de Down
Pza. Sant Pere, 3, baixos - 25005 Lleida
Tel.: 973 22 50 40 Fax: 973 22 50 40

Asociación Síndrome Down de Tarragona
C/ Dos, 41, 2º 1ª - 43100 Tarragona
Tel.: 977 55 06 55 Fax: 977 23 87 06

Fundación Catalana Síndrome de Down
C/ Valencia, 229 - 08007 Barcelona
Tel.: 93 215 74 23 Fax: 93 215 76 99

Fundación Síndrome Down de Gerona y comarcas ASTRID 21
Avda. Hispanidad, 18 - 17005 Gerona
Tel.: 972 23 40 19 Fax: 972 23 40 19
e-mail: astrid21@teleline.es
http://www.vermail.net/astrid21

Proyecto AURA
C/ General Mitre, 174 - 08006 Barcelona
Tel.: 93 417 76 67 Fax: 93 418 43 17

Ceuta
Asociación Síndrome de Down de Ceuta
C/ Marina Española, 6, 1º - 51001 Ceuta
Tel.: 956 51 86 88 Fax: 956 51 86 88

Extremadura
Asociación Síndrome de Down de Extremadura
C/ Los Maestros, 22 - 06800 Mérida (Badajoz)
Tel.: 924 33 07 37 Fax: 924 33 07 37
e-mail: downexre@ceresnet.com / regional@downex.com
http://www.downex.com

Galicia
ASDL Asociación Síndrome de Down de Lugo
Rúa Campos Novos, 117, 3º I - 27002 Lugo
Tel.: 982 24 09 21 Fax: 982 24 09 21
e-mail: downlugo@lugonet.com
http://www.lugonet.com/downlugo

Asociación para el Síndrome de Down de Pontevedra
C/ Manolo Martínez, 1, 1º Dcha. - 36210 Vigo (Pontevedra)
Tel.: 986 20 16 56 Fax: 986 21 49 54
e-mail: downvigo@teleline.es

Asociación Síndrome de Down «TEIMA»
C/ Fernando VI, bloque 2 B, 18-19 - 15403 El Ferrol (A Coruña)
Tel.: 981 32 22 30 Fax: 981 32 22 30

DOWN COMPOSTELA Asociación Síndrome de Down de Compostela
Rúa Dublín, 6, bajo - 15707 Santiago de Compostela (A Coruña)
Tel.: 981 56 34 34 Fax: 981 56 34 34
e-mail: downsantiago@corevia.com
http://www.corevia.com/downcompostela

DOWN CORUÑA Asociación para el Síndrome de Down de La Coruña
Centro Comercial del Ventorrillo, planta 1ª, local 3 - 15010 A Coruña
Tel.: 981 26 33 88 Fax: 981 26 33 88
e-mail: down-coruna@terra.es

Federación gallega de instituciones para el Síndrome de Down
Rúa Dublín, 6, bajo - 15707 Santiago de Compostela (A Coruña)
Tel.: 981 56 34 34
Fax: 981 56 34 34
e-mail: downsantiago@corevia.com
http://www.corevia.com/downcompostela

XUNTOS Asociación Pontevedresa para el Síndrome de Down
R/ Cobian Roffignac, 9, 2º - 36002 Pontevedra
Tel.: 986 86 55 38 Fax: 986 86 55 38

Murcia
ASSIDO Asociación para Personas con Síndrome de Down
Pza. Bohemia, 4 - 30009 Murcia
Tel.: 968 29 38 10
Fax: 968 28 29 42
e-mail: assido-murcia@forodigital.es

ASSIDO Asociación para el Tratamiento de Niños y Jóvenes con Síndrome de Down
Avda. de Génova nº 8, Polígono Santa Ana - 30319 Cartagena (Murcia)
Tel.: 968 51 32 32 Fax: 968 5163 07
e-mail: assido-cartagena@forodigital.es

AYNOR Proyecto de Vida Independiente para la Persona con Discapacidad
Pza. Cruz Roja, 9, 3º B - 30003 Murcia
Tel.: 968 22 37 53 Fax: 968 22 37 53
e-mail: aynor@cajamurcia.es

FUNDOWN Fundación Síndrome de Down de la Región de Murcia
Pº Escultor Juan González Moreno, 2 - 30002 Murcia
Tel.: 968 22 52 79 Fax: 968 22 53 66
e-mail: fundown@forodigital.es
http://forodigital.es/uehm/fundown

Navarra

Asociación Síndrome de Down de Navarra
C/ Monasterio de Tulebras, 1, bajo - 31011 Pamplona
Tel.: 948 26 32 80 Fax: 948 26 32 80

País Vasco

AGUIDOWN Asociación Guipuzcoana para el Síndrome de Down
Pº de Mons, 87 - 20015 San Sebastián
Tel.: 943 32 19 26 Fax: 943 67 26 28

Asociación Prosíndrome de Down de Álava «Isabel Orbe»
C/ Vicente Abreu 7, bajo, dpto. 11 - 01008 Vitoria
Tel.: 945 22 33 00 Fax: 945 22 33 00
e-mail: isabelorbe@teleline.es

La Rioja

A.R.S.I.D.O. Asociación Riojana para el Síndrome de Down
C/ Muro de la Mata, 8, 3º B - 26001 Logroño
Tel.: 941 23 53 45 Fax: 941 23 53 45

Valencia

AASD Asociación Alicantina Síndrome de Down
C/ Médico Pedro Herrero, 1, bajo A - 03006 Alicante
Tel.: 96 511 70 19 Fax: 96 511 70 19

ASINDOWN Asociación Síndrome de Down de Valencia
C/ Aben Alalbbar, 8, pta. 15 - 46021 Valencia
Tel.: 96 389 09 87 Fax: 96 369 72 09

Asociación de padres de niños con Síndrome de Down de Castellón
Avda. de Alcora, 130, 1º, edificio Bancaja - 12006 Castellón
Tel.: 964 25 14 27
Fax: 964 25 11 14
e-mail: downcas@dipcas.es

Fundación ASINDOWN
C/ Poeta Mª Bayarri, 6, bajo - 46014 Valencia
Tel.: 96 383 42 98 Fax: 96 383 42 97

AMÉRICA LATINA

Argentina

Asociación Síndrome de Down de Gualeguaychú
San Martín 1049 - 2820 Gualeguaychú, Entre Ríos
Tel.: 0446 - 29842
e-mail: adrivan@satlink.com

A.S.D.R.A. Asociación Síndrome de Down República Argentina
C/ Uriarte, 2011 - 1414 Buenos Aires
Tel.: (54-1) 777-7333 Fax: 771-2214

A.S.I.D.O.V.I. Asociación Síndrome de Down del Valle
C/ Brown, 695 - 8500 Viedma, Río Negro
Tel.: 0920-22768 Fax: 0920-23198

Asociación Niños con Síndrome de Down Tucumán
C/ Bulnes,1928 - 4000 S. M. de Tucumán, Tucumán
Tel.: (081) 234889/214520 Fax: (081) 215441

Brasil
Associaçao dos Pais de Filhos com Simdrome de Down
Rua Alexandre Herculano, 75, Sala 3 - 11060 - 030 Santos, Sao Paulo
Tel.: (0132) 349167

CEPEC-SP Centro de Estudios Clínicos de Sao Paulo
Rua Alexandre Dumas 667, Chac. Sto. Antonio - 04717 Sao Paulo
Tel.: (011) 522-9141 / 815-0589

Colombia
Corporación Síndrome de Down
C/ 119 A, N. 53-48, 11 Bogotá D-E
Tel.: 253 01 31 / 226 70 90

Costa Rica
A.C.O.P.S.I.D.O. Asociación Costarriqueña de Síndrome de Down
P.O. BOX 308 - 1007 San José

Centro COLÓN
P.O. BOX 525 - 1007 San José
Tel.: (506) 284749 / 284177 Fax: (506) 222308

Cuba
Programa Síndrome de Down de Cáritas - Cuba
C/ San Lázaro, 805 - 10300 La Habana
Tel.: 704179 Fax: (53.7) 333048

Chile
HINENI Fundación para la Integración de Personas con Discapacidad
C/ Carlos Mont, 5615 - Nuñoa. Santiago de Chile
Tel.: 277-4400

Fundación chilena Síndrome de Down
C/ San Sebastián, 2979, Las Condes

Centro Down de Viña del Mar
1 Oriente 1107 - Viña del Mar
Tel.: 56-32-696548
Fax: 56-32-685955
e-mail: downvina@chilesat.net

Ecuador
F.E.N.I.D. Fundación Ecuatoriana para Niños con Síndrome de Down
C/ Riofrio y Juan Larrea, Clínica Central, 2§, Quito
Tel.: 230444 / 560615 Fax: 539-2-534211

Fundación Síndrome de Down
C/ Boyaca, 825 y Junín, planta baja - Guayaquil
Tel.: 308306 / 343381 Fax: 282761

México
Asociación Down de Monterrey A.C.
Av. Pio X, 1100 - Monterrey
Tel.: 345-7767 Fax: 344-6640

CTEDUCA Centro de Terapia Educativa para Síndrome de Down
Calle 59 - I, nº 429 X 102, Colonia Bojórquez - 97230 Mérida, Yucatán
e-mail: CTEDUCA@finred.com.mx

Instituto Down de Monterrey A.C.
C/ Belisario Domínguez, 1632, Colonia Obispado - 64060 Monterrey Nvo. León
Tel.: 460282 / 461617 Telex.: 467524

Puerto Rico
Fundación Puertorriqueña para el Síndrome de Down
Av. Ponce de León, 1713. Santurce
P.O. Box 5273 San Juan de Puerto Rico 00919-5273 - Puerto Rico
Tel./Fax: 728-5700/268-DOWN

I.S.P.A.M.E.R.
C/ Vega Baja Station, Vega Baja. P.R. 00694
Tel.: (809) 893-1155 / 858-2216

Venezuela

C.E.D.I.N.T.L.A.D.A.
Centro de Desarrollo Integral de los Trastornos Auditivos y Dificultades de Aprendizaje
C/ Falcon, 172, La Trinidad - Valencia
Tel.: (041) 315449